Verlie

Daniëlle Bakhuis

Verliefd... en nu?

Uitgeverij Ploegsma Amsterdam

www.daniellebakhuis.nl
www.ploegsma.nl

ISBN 978 90 216 6820 8 / NUR 284
© Tekst: Daniëlle Bakhuis 2010
Omslagontwerp: Annemieke Groenhuijzen
Omslagfoto: Getty Images
© Deze uitgave: Uitgeverij Ploegsma bv, Amsterdam 2010

Uitgeverij Ploegsma drukt haar boeken op papier met het FSC-keurmerk. Zo helpen we waardevolle oerbossen te behouden.

MAUD

'Meen je dat nu serieus, Maud?'

Aan de andere kant van de lijn blijft het even stil, maar ik kan aan Lynns ademhaling horen dat ze boos is.

'Maar je snapt toch wel...' probeer ik.

'Nee,' onderbreekt Lynn me ruw. 'Daar snap ik nu helemaal niets van. Dit is al de tweede keer deze week dat je me afbelt om iets met Raoul te doen.'

Met de punt van mijn fietssleutel druk ik hard in mijn handpalm. Waarom doet ze nou zo moeilijk? Ze snapt toch zeker wel dat ik Raoul graag wil zien? Ik heb hem haast niet gezien deze week.

'Sorry,' zeg ik, maar ik hoor zelf aan de toon van mijn stem dat ik er helemaal niets van meen. 'Sorry, Lynn, maar ik...'

'Het is wel goed met je ge-sorry. Bel me maar weer als het uit is met je vriendje.' En ze drukt me weg.

Even sta ik verbaasd met mijn telefoon in mijn handen, maar dan ben ik het opeens flink zat. Wat een rotopmerking, zeg. Zij weet net zo goed als ik dat Raoul nog niet officieel mijn vriendje is.

Hardhandig stop ik de sleutel in het slot van mijn fiets en haal mijn fiets uit het rek. Ik ben de hele ochtend in het winkelcentrum geweest op zoek naar het perfecte shirtje (ik heb alleen een lipgloss gekocht) en ik was echt van plan om daarna naar Lynn te gaan, toen ik een sms'je van Raoul kreeg.

'Hey MM,' sms'te hij. 'Ik ben alleen thuis. Kom je zo een colaatje drinken?'

MM. Zo begint hij bijna al zijn berichtjes. De eerste keer begreep ik er niets van, tot hij uitlegde dat het voor 'mooi meisje' stond. 'Of mooie Maud,' zei hij er snel achteraan. 'Dat sms ik echt niet naar elk meisje, hoor.'

Ik stop de oordopjes van mijn iPod in mijn oren en scroll naar de lijst met liedjes waarbij ik aan Raoul moet denken. Ik heb geen zin om me verder nog druk te maken over de ruzie met Lynn. Lynn mag dan al wel sinds de basisschool mijn beste vriendin zijn, maar hoe vaak heb ik niet op een feestje alleen gestaan omdat zij buiten stond te zoenen met een jongen? Hoe vaak deed ze net alsof ik er niet was, als er een jongen bij ons kwam staan op het schoolplein? En toen die keer dat ze tijdens de werkweek in de brugklas de hele busreis naast haar nieuwe lover-van-de-maand zat, zodat ík alleen zat. Is ze dat soms vergeten?

Ik trap extra hard de trappers rond om de ruzie met Lynn uit mijn hoofd te krijgen. Ik weet wel dat we nooit lang boos op elkaar blijven, maar toch geeft het altijd weer een rotgevoel.

Ik zucht diep. Ik kan er ook niets aan doen, maar ik ben nog nooit zo verliefd geweest. Het liefst wil ik de hele dag rondjes met Raoul door de stad lopen om aan iedereen te laten zien dat hij bij mij hoort. En tegelijkertijd erger ik me rot als er ook andere mensen in de buurt zijn met wie Raoul praat of met wie ik moet praten. Eigenlijk ben ik liever gewoon alleen met hem. Het is niet eens dat we echt wat doen. Gewoon bij elkaar zijn is voldoende.

Ik krijg een kriebel in mijn maag zodra ik Raouls straat in fiets en zijn huis zie.

Het is pas de derde keer dat ik bij hem thuis kom. Meestal spreken we ergens anders af, maar nu zijn ouders een week op vakantie zijn moet hij samen met zijn zus op het huis passen.

Ik zet mijn fiets tegen de muur van het huis en check nog even snel in mijn klapspiegeltje hoe ik eruitzie. Op wat mascara onder mijn oog na, kan ik er wel mee door. Ik twijfel of ik wat van mijn nieuwe lipgloss op moet doen. Het staat mooier, maar Raoul noemt het altijd 'plakspul' als 'ie me zoent. Ik pulk wat aan het plasticje en gooi de tube dan weer terug in mijn tas.

Door de achterdeur loop ik het huis binnen. Raoul heeft de tv wel erg hard staan: het lijkt wel alsof er tien man binnen zit. Wanneer ik de deur van de woonkamer opendoe, duurt het even voordat ik wat kan zien. De gordijnen zitten potdicht en alleen in de hoek van de kamer brandt een zacht licht. Even schiet er door me heen dat Raoul het romantisch heeft willen maken, voor mij, maar dan zie ik Jasper en Benjamin op de bank zitten. Op de stoel voor de tv zit Tijn. Op de grond voor de tv, met zijn benen op een bijzettafeltje, ligt Raoul. Met een hand ondersteunt hij zijn hoofd en op zijn buik balanceert een bak chips. Even heb ik de neiging om te vragen wat ze in vredesnaam binnen doen met dit mooie weer. Maar ik houd mijn mond. Dat had mijn moeder ook kunnen zeggen.

'Hey,' zeg ik, terwijl ik onwennig blijf staan. Op slag voel ik me schuldig tegenover Lynn. Ik dacht dat Raoul me had uitgenodigd om wat met zijn tweeën te gaan doen, maar als ik dit had geweten, had ik Lynn niet afgezegd.

'Hé M!' zegt Raoul met een mond vol paprikachips. Hij gaat meteen rechtop zitten en wijst op de colafles. 'Colaatje?'

De andere jongens hebben volgens mij nauwelijks door dat ik er ben. Op de tv valt een jongen met zijn skateboard van een trapreling. Hij probeert zijn val te breken door met zijn handen naar de reling te grijpen, maar hij klapt er keihard met zijn buik op. 'Ooo!' roept Tijn terwijl hij met beide handen naar zijn buik grijpt. 'Dat deed zeer, dat kan niet anders.'

'Nee, ik eh...' Ik schud mijn hoofd naar Raoul. 'Ik kwam eigenlijk alleen even langs om eh... te zeggen dat ik niet kwam.'

Raoul fronst zijn wenkbrauwen. 'Hè? Je komt langs om te zeggen dat je niet langskomt?'

Zei ik dat nu werkelijk? Wat ben ik voor een muts?

'Jongens, alsjeblieft,' zegt Jasper zonder zijn ogen van het scherm af te halen. 'Als jullie elkaar nu een uur lang gaan vertellen hoe lief jullie elkaar vinden, wil je dat dan alsjeblieft even ergens anders doen?'

Raoul staat op en veegt zijn handen schoon aan zijn broek. 'Zullen we even naar buiten gaan?'

Ik knik.

Als ik voor hem uit de woonkamer uit loop, pakt hij van achteren meteen mijn hand vast. Hij knijpt er zachtjes even in en ik knijp terug.

'Tjonge, wat was het binnen warm, zeg,' zeg ik als we buiten zijn.

Raoul negeert mijn opmerking en geeft me een lange zoen op mijn mond. Met zijn ene hand houdt hij mijn achterhoofd vast en de andere legt hij op mijn onderrug. 'Sorry,' fluistert hij dan zachtjes. 'Die jongens kwamen echt net tien minuten geleden langs. Benjamin had een of ander illegaal dvd'tje met skateongelukken dat ik moest zien.' Raoul legt overdreven veel nadruk op *moest*. Hij lacht: 'Ik was veel liever even met jou alleen geweest, dat weet je toch, hè?'

Volgens Lynn is Raoul een echte player omdat hij van dit soort dingen zegt. Volgens haar zeggen jongens dat soort dingen alleen maar om iets voor elkaar te krijgen. Maar Lynn snapt er niets van. Aan Raouls ogen kan ik zien dat hij het meent. Dat hij het met míj meent.

'Ik weet het,' lach ik zachtjes terug. Ik klap overdreven hard een zoen op zijn mond. 'Maar het geeft niet. Ik had net een beetje ru-zie met Lynn, omdat ik haar had afgezegd om hiernaartoe te ko-men. Als ik snel ben, is ze zo weer vergeten waarom ze boos was.'

'Weet je het zeker?' vraagt Raoul. 'Ik stuur die jongens zo weg, hoor.'

En ook al weet ik dat hij het misschien niet eens echt zou doen, het kriebelt wel in mijn buik, alleen al omdat hij het zegt.

'Ik weet het zeker,' zeg ik, terwijl ik op mijn fiets stap. 'Ik bel je nog, oké?'

'Niet als ik jou eerder bel,' lacht Raoul en hij gaat weer naar binnen.

Ik ben het tuinpad net af als ik een sms'je krijg. In mezelf la-chend schuif ik mijn telefoon open. Sinds Raoul de standaard-sms-functie in zijn telefoon heeft ontdekt, is 'ie soms wel erg flauw bezig.

Maar als ik naar het nummer kijk, zie ik dat het helemaal niet het nummer van Raoul is. En dan voel ik hoe mijn mond spon-taan droog wordt.

Je denkt toch niet echt dat R. je leuker dan J. vindt?

RAOUL

'Het is dik aan hè, tussen jullie?'

Ik kijk Jasper even verbaasd aan. Die jongen kan soms zulke rare dingen zeggen. Dik aan? Wie zegt dat nou?

'Ja, eh...' begin ik. 'Ik denk het, ja.'

Maud en ik hebben het er niet officieel over gehad, maar wat mij betreft is het aan. Ik zie en zoen haar toch niet voor niets zo vaak?

We zijn met zijn vieren buiten gaan zitten: Jasper, Tijn, Benjamin en ik. Binnen was het niet uit te houden, maar hierbuiten is het ook niet veel koeler.

'Met Maud, bedoel je?' Benjamin kijkt me vragend aan.

Ja, wie anders, denk ik bij mezelf.

'Maar eh... even jongens onder elkaar, hè?' lacht Benjamin dan zachtjes. 'Die Maud is niet echt wat je zegt een lekker wijf, vind je wel?'

Ik kijk Benjamin aan. Soms vraag ik me echt af waarom ik nog met die jongen omga. Ik voetbal al een paar jaar bij hem in hetzelfde team, maar een vriend van me zal het nooit worden. Niet zoals Jasper en Tijn dat zijn.

'Niet lullig bedoeld, hoor.' Benjamin houdt zijn handen in de lucht. 'Maar kom op, als je haar naast Lynn zet, dan wist ik het wel.'

Ik zeg nog steeds niets. Ik heb wel het gevoel dat ik het voor

Maud op moet nemen, maar volgens mij heeft het helemaal geen zin om aan die jongen uit te leggen dat ik Maud tien keer mooier vind dan Lynn.

Benjamin stoot Tijn aan. 'Even eerlijk: Maud of Lynn. Voor wie zou jij gaan?'

Tijn laat het bodempje cola door zijn glas rollen en ontwijkt mijn blik. Als hij zich er handig uit wil lullen, zegt hij dat hij voor geen van tweeën gaat, maar voor zijn vriendin Saskia. Maar aan Tijns hoofd te zien, komt die niet eens in hem op.

'Op het eerste gezicht Lynn, denk ik,' zegt hij dan. 'Maar ik vind Maud leuker, nu ik haar beter ken.'

'Maar in de kroeg,' zegt Benjamin. 'Gewoon puur op uiterlijk.'

'Dan Lynn.'

Benjamin kijkt me aan alsof hij net heeft gehoord dat hij een contract krijgt bij een Italiaanse voetbalclub.

'Dus?' zeg ik en ik haal mijn schouders op. 'Wat wil je hier nu mee zeggen?'

'Niets,' zegt Benjamin en hij doet me na door ook overdreven zijn schouders op te halen.

'Ik vind Maud wel een heel mooi meisje,' zeg ik. Ik hoor zelf hoe zielig het klinkt. Wel een heel mooi meisje? Had ik niet gewoon kunnen zeggen dat ik haar een lekker wijf vind? Ik vind haar toch ook gewoon een lekker wijf?

'Ik ook,' valt Jasper me bij. 'Natuurlijk ben ik het met Tijn eens dat ik in de kroeg ook eerst op Lynn zou afstappen.' Op zijn gezicht verschijnt een grote grijns als hij Lynns naam uitspreekt. Het is de grijns van een jongen van wie zijn vrienden zeggen dat 'ie een lekker wijf heeft, denk ik jaloers. Niet dat Lynn zijn vriendin is, maar hij heeft toch wel een poos met haar gescharreld. 'Maar als ik heel eerlijk ben...' gaat Jasper verder, 'snap ik heel goed dat onze Raoul hier hartstikke gek is op Maud. Lynn kun je meenemen naar je vrienden, maar Maud... Maud, die kun je meenemen naar je moeder.'

Het is drie seconden stil voordat iedereen keihard begint te lachen. Maar Maud kun je meenemen naar je moeder? Zei hij dat nou echt?

'Het klinkt alsof je erover nagedacht hebt,' zeg ik als ik uitgelachen ben.

'Verzin je dit soort dingen nou echt zelf?' vraagt Tijn.

Jasper kijkt ons verbaasd aan. 'Kom op! Iedere jongen kent die theorie!'

We kijken hem allemaal net zo verbaasd aan terug.

'Sorry,' lacht Benjamin nog wat na. 'Van mijn zus heb ik best veel onzin over relaties en zo gehoord, maar deze ken ik nog niet.'

Tijn gorgelt zijn laatste slok cola door zijn mond en steekt zijn hand op. 'Ik ook niet,' zegt hij als hij heeft doorgeslikt.

'Nou, vertel op,' zeg ik en ik stoot Jasper aan.

Jasper kijkt alsof wij degenen zijn die net iets raars hebben verteld. 'Jullie moeten echt nog veel leren, hè? Nou, luister.' Hij zet zijn lege bierflesje met een klap op tafel en zet Tijns lege colaflesje ernaast. 'Dit,' zegt hij en hij houdt het bierflesje weer omhoog, 'is het lekkere wijf. Negen van de tien keer blond. Hoge hakken, korte rokjes, van dat glansspul op haar lippen. Ze danst sexy, heeft tien vriendinnen om haar heen en heeft misschien nog wel spannendere verhalen te vertellen dan jij.'

Zo'n type als Julia, denk ik, maar ik zeg het niet. Julia is het meisje waar ik vorig jaar iets mee heb gehad. Bloedmooi, maar ook bloedgevaarlijk.

Jasper pakt het colaflesje op en houdt deze met zijn rechterhand omhoog. 'Dit is je buurmeisje. Haar in een staartje, spijkerbroek die net niet strak genoeg zit, simpel shirtje, platte schoenen. In de discotheek staat ze of tegen de muur geleund of ze danst met haar vriendinnen in een groepje.'

Tijn knikt. 'Met zijn allen om hun tasjes heen, zeker.'

'Precies,' zegt Jasper. 'Van die meisjes die je niet meteen opvallen, omdat er daar honderden van rondlopen.'

Ik frons. 'En wat heeft dat met bier en cola te maken?'

'Simpel,' zegt Jasper. 'Een lekker wijf is als bier. Het is hartstikke leuk en lekker als je bij je vrienden bent, maar door de week heb je daar niets aan. Je drinkt toch ook geen bier als je met je moeder thuis op de bank zit, of wel dan?' Hij houdt grijnzend het lege colaflesje omhoog. 'Nee. Dan neem je cola.'

Ik schud mijn hoofd. 'Serieus, waar haal je die onzin vandaan? Een lekker wijf is als bier. Het lijkt wel zo'n spreuk van zo'n wc-tegeltje.'

'Onzin of niet,' lacht Tijn. 'Hij heeft wel gelijk.'

Jasper knikt heftig zijn hoofd. 'Zie? Met cola kun je overal mee aan komen zetten. Als je op school cola neemt, vindt iedereen dat prima.'

'Hebben we het nog steeds over meiden?' vraagt Benjamin. 'Bier, meiden, cola, ik snap er niets meer van.'

'Nog een overeenkomst...' zeg ik terwijl ik Benjamin negeer. 'Vrienden zitten altijd te zeiken dat je een sukkel bent als je geen biertje neemt. Maar ik ga veel liever voor een cola.'

Benjamin klopt me op mijn schouder en staat dan op. 'Prima. Als jij gelukkig wordt van cola, dan neem je cola. De rest bier? Ik loop wel even naar de keuken.'

Wanneer Benjamin binnen is, zegt Jasper droog: 'Hij mag dan wel heel stoer bier willen, maar hij heeft altijd van dat bier dat niet te zuipen is.'

'Van dat bier dat wel op bier lijkt, maar eigenlijk veel meer schuim is,' zeg ik.

'Dat hoor ik!' schreeuwt Benjamin vanuit de keuken.

'Wat gek,' schreeuw ik terug. 'Ik zei het namelijk ook hardop!'

Met één blikje bier in zijn handen komt Benjamin de keuken weer uit. 'Ik wil niet veel zeggen,' grijnst hij. 'Maar op één lekker wijf na heb je echt helemaal niets meer in huis.'

MAUD

'Wie stuurt er nou zoiets?'

Koen kijkt me aan alsof ik hem net heb verteld dat ik op mijn eigen teennagels bijt.

'Kom eens hier met je telefoon. Ik ga meteen bellen. Wat een gelul, zeg.'

In een impuls ben ik net direct van Raouls huis naar Koen gefietst. Lynn is dan wel mijn BFF, Koen is mijn BFBC: mijn beste vriend bij crisis.

Ik gris mijn telefoon van tafel voor Koen hem kan pakken en schud mijn hoofd. 'Jij doet helemaal niets. Het zal vast wel van iemand zijn die denkt dat 'ie grappig is. Als ik het negeer, houd het vanzelf wel op.'

'*Je denkt toch niet echt dat R. je leuker dan J. vindt...* Wat als je er nog meer krijgt?' vraagt Koen. 'Ik weet hoe jij in elkaar steekt: jij gaat straks ook nog geloven dat Raoul Julia leuker vindt.' Hij kijkt me aan. 'Toch? Daar staat die J. toch voor? Julia?'

Ik voel dat ik misselijk word. Julia. Ik haat die naam. Sinds ze drie weken geleden met een dronken hoofd Raoul probeerde te zoenen, ben ik absoluut geen fan van haar.

Ik zucht eens.

Nog steeds als ik eraan terugdenk, kan ik boos worden op haar. Julia mag dan wel Raouls ex zijn, echt verliefd zijn ze nooit op elkaar geweest, als ik Raoul moet geloven. Het ging bij Julia meer om het hebben dan om het houden van Raoul. Ik was dan ook gigantisch kwaad toen ik hoorde dat Julia Raoul had proberen te zoenen in een volle discotheek. En hoewel ik in het begin ook nog pissig was op Raoul, geloof ik nu zijn kant van het verhaal: Julia heeft hem gezoend en hij heeft haar meteen weggeduwd. Punt.

'Is er iets?' vraagt Koen.

Ik kijk op. Ik heb helemaal geen zin om dat Julia-verhaal weer op te rakelen. 'Niets,' zeg ik daarom maar. 'Een beetje ruzie met Lynn net.'

Koen haalt zijn wenkbrauwen op, maar zegt niets.

'Ja, ach. Ze doet soms gewoon ontzettend jaloers,' zeg ik chagrijnig. 'Ze snapt toch wel dat ik verliefd ben? Ik wil gewoon bij Raoul zijn.'

Koen klakt een keer met zijn tong en schudt zijn hoofd.

'Wat?'

'Niks.'

'Oké, oké.' Ik houd mijn handen omhoog. 'Het is misschien ook een beetje lullig dat ik haar vanmiddag afbelde om naar Raoul te gaan, maar ik heb toch geen verkering met haar?'

'Zeg jij dat nu echt, Maud?' lacht Koen. 'Mevrouw ik-zou-nooit-mijn-vrienden-op-de-tweede-plaats-zetten? Mevrouw tjonge-Koen-je-doet-net-alsof-je-met-Chris-gaat-trouwen-doe-eens-even-normaal-zo-gewoon-is-een-homohuwelijk-nog-niet-in-ons-dorp?'

Ik lach even hardop. Dat het mij niets interesseert dat Koen homo is, wil niet zeggen dat het hele dorp er zo over denkt. Vooral oudere mensen kunnen soms nog wel eens vreemd opkijken als Koen en Chris hand in hand fietsen.

'Misschien was ik nog nooit echt verliefd,' zeg ik voorzichtig.

'Is dit serieus, dan?' vraagt Koen. 'Ik bedoel, ben je echt verliefd-verliefd?'

'Ik denk het,' zeg ik.

'Even een trucje,' zegt Koen. 'Kijken wat er gebeurt als ik "Raoul" zeg.'

Ik voel hoe ik begin te glimlachen. Raoul. Het klinkt ook gewoon sexy.

'Ja,' zegt Koen en hij zakt achterover. 'Jij bent verliefd.'

'Niet dat het officieel is,' zeg ik. 'Ik bedoel: we hebben nog geen verkering of zo.'

'Aha.' Koen knikt. 'Het "gesprek" is nog niet geweest, hoor ik.'

Ik schud mijn hoofd. 'Ik weet dat hij me leuk vindt. Hij heeft gezegd dat hij verliefd op me is. Maar we zijn ondertussen alweer drie weken verder. Hallo? Is het nu aan of niet?'

'Wat kraam je vandaag toch allemaal voor onzin uit, Maud! "Hoort hij me nu niet te vragen?" Als je zo graag verkering wil, dan vraag je het hem zelf.'

Ik schud kort mijn hoofd. 'Dat durf ik niet.'

'Durf ik niet?' vraagt Koen. 'Het zit toch goed? Wat valt er nou niet aan te durven?'

'Jij hebt makkelijk praten,' snuif ik. 'Jij bent een jongen. En bent verliefd op een jongen. Als jij het vraagt, is het niet gek en als Chris het doet, is het ook niet gek.'

'Ik weet niet waar jij je liefdeswijsheden vandaan haalt, maar in mijn tijdperk is het heel normaal als een meisje verkering vraagt.'

Koen kan mooi praten, maar ik zou niet weten hoe ik er met Raoul over moet beginnen. Ik ben bijna vijftien. Dan ga ik toch geen verkering vragen?

'Hoe noem jij dat eigenlijk, wat je met Chris hebt?' vraag ik. 'Verkering?' Ik spreek het woord uit alsof ik op mijn eigen haar kauw.

Koen haalt zijn schouders op. 'Gewoon. Chris is mijn vriendje.'

'Maar hoe weten jullie dat? Hebben jullie het er wel over gehad?'

'Nee, niet echt. Ik wist dat het goed zat. Toen we een keer samen in de stad waren en ik een bekende tegenkwam, stelde ik Chris gewoon voor als mijn vriend.'

'En Chris vond dat niet raar?'

'Natuurlijk niet. Die dacht er precies zo over.'

Ik haal mijn schouders op. Ik blijf het moeilijk vinden. Laat mij maar een muts zijn, maar ik heb liever zekerheid. Die tussenfase waar ik nu in zit, vind ik helemaal niets. Officieel kan ik hem niet mijn vriendje noemen, maar hij is ook weer niet *niet* mijn vriendje. We hebben al best vaak met elkaar afgesproken, zoenen elke keer als we elkaar zien en we hebben tegen elkaar gezegd dat we verliefd op elkaar zijn. Als het om een ander zou gaan, zou ik allang denken dat die twee verkering hadden. Stom is dat, dat je voor jezelf er altijd andere regels op nahoudt.

'Hoe lang heeft die tussenfase bij jou en Chris geduurd?'

'Tussenfase?' vraagt Koen.

'Ja, de tijd tussen de eerste zoen en de keer dat je Chris als je vriendje voorstelde.'

Koen haalt zijn schouders op. 'Twee, drie weken? Ik weet het echt niet meer precies. Hoezo?'

'Gewoon,' zeg ik. 'Bij mij duurt het nu ook al iets langer dan drie weken. Ik denk dat ik gewoon wil weten wat normaal is.'

'Je bedoelt hoe lang het ongeveer nog duurt voordat hij je verkering vraagt?'

'Laat maar. We gaan het over iets anders hebben.'

'Helemaal niet,' lacht Koen. 'Serieus, Maud. Zo ken ik je helemaal niet. Ben je altijd zo geweest als je verliefd bent?'

Ik zeg helemaal niets.

'Oké,' zegt Koen dan, terwijl hij er eens goed voor gaat zitten.

'Wat is het meest domme dat jij de afgelopen tijd gedaan hebt? Dan oordeel ik daarna wel of je verliefd bent of niet.'

'In de naam der liefde?' zeg ik op een overdreven toontje. 'Phoe, laat me even nadenken...'

Er schiet van alles door mijn hoofd, maar er is niet één ding dat er echt bovenuit schiet. 'Ik weet het niet...' zeg ik en ik haal mijn schouders op. 'In mijn iPod heb ik een speciaal mapje aangemaakt met liedjes die over Raoul en mij gaan, maar is dat heel vreemd? O ja, en ik typ al mijn sms'jes over in een bestandje op mijn laptop...'

Ik kijk snel opzij om het gezicht van Koen te checken. Hij kijkt neutraal, haast oprecht geïnteresseerd. Ik haal diep adem en zeg dan: 'En ik schrijf een soort brief aan hem die ik hem aan het eind van het jaar pas wil geven.'

'Wat?' Koens gezichtsuitdrukking gaat meteen op de walgstand. 'Een soort brief? Hoe bedoel je "een soort brief"? Je schrijft hem een brief of niet. Wat zet je in vredesnaam in een soort van brief?'

'Gewoon, dingen. Dingen die ik leuk aan hem vind, maar nu nog niet tegen hem durf te zeggen.'

'Zoals wat?'

'Laat maar. Jij maakt me alleen maar belachelijk.'

'Nee, echt niet. Nou ja, misschien een beetje net, maar nu niet meer.'

Ik bijt een velletje bij mijn nagel stuk.

'Nou...' zegt Koen. 'Komt er nog wat van? Eén dingetje maar. Daarna beloof ik dat ik niet verder zal zeuren.'

'Goed, één dingetje,' zeg ik met een streng gezicht. Ik zucht zo overdreven mogelijk, terwijl ik razendsnel in mijn gedachten mijn lijstje afwerk. 'Zoenen,' zeg ik dan. 'Ik durf het hem nog niet te zeggen, maar hij zoent belachelijk goed.'

Koen kijkt me met opgetrokken wenkbrauwen aan. 'Sorry, schat. Maar daar hoef je geen lijst over te maken. Ten eerste zoent praktisch iedereen "belachelijk goed" als je verliefd bent en ten tweede is dat nu niet heel spannende informatie. Dat weten jullie toch allang van elkaar?'

'Hoe zouden we dat moeten weten?'

'Dat zeg je toch tegen elkaar?' Koen kijkt me verbaasd aan. 'Serieus, het was het eerste dat Chris tegen mij zei toen we voor de eerste keer met elkaar zoenden.'

'Zei hij dat tegen je?' Een jaloerse kriebel blijft ergens halverwege mijn keel steken. 'Dat zal wel weer typisch iets voor homo's zijn.'

Koen haalt met zijn hand uit alsof hij een kat is en maakt een mauwend geluid. 'Mraauw! Wat zijn we weer heerlijk vals vandaag. Jaloers?'

'Helemaal niet,' zeg ik te stellig.

'Ik weet tenminste dat ik goed kan zoenen,' zegt Koen, zijn kin overdreven in de lucht stekend. 'Jij moet maar raden of Raoul dat getong van jou lekker vindt.'

'Hou er nou maar over op,' zeg ik chagrijniger dan ik bedoel. 'Ik...'

Ik weet al niet eens meer wat ik wil zeggen, als mijn telefoon keihard laat horen dat ik een sms'je heb.

Koen staat op. 'Dat is vast Raoul om te zeggen dat je heerlijk zoent.'

Maar het zeurende gevoel in mijn buik vertelt me voordat ik het sms'je heb geopend, dat deze niet van Raoul is.

En trouwens, vraag maar eens hoe lang R. echt met J. heeft gezoend...

RAOUL

Ik heb pas door dat het Julia is, als ik haar al voorbijgelopen ben.

Ik loop gehaast door het winkelcentrum. Tijn, Benjamin en Jasper zitten thuis op me te wachten tot ik cola en chips heb gehaald. Sinds mijn ouders op vakantie zijn, heb ik pas door hoe vervelend het is om telkens boodschappen te moeten doen.

'Raoul?'

Even weet ik niet wat ik moet doen. Net doen alsof ik haar niet gezien heb is stom, want ik keek haar recht in de ogen. Ik wil me net omdraaien, als ik op mijn rug word getikt.

'Zeggen we niets meer?'

Julia's mond is tot een smalle streep vertrokken. Ze kijkt zuur, haast verbitterd. Ik heb haar altijd een knap meisje gevonden, maar op dit moment snap ik niet wat ik ooit in haar heb gezien.

'Hé Julia!' zeg ik op een sorry-ik-had-je-niet-gezien-toon. 'Alles goed?'

Julia knikt langzaam haar hoofd. 'Met jou ook, zo te zien?' Haar toon is sarcastisch.

Alleen omdat ik een versleten petje op heb en een korte broek draag die ik duidelijk vanonder uit de wasmand heb geplukt? Wat is het toch ook een verwaande trut soms.

'Hé,' zegt ze dan. 'Nu ik je toch zie... Heb je haast? Kunnen we even praten?'

Liever niet, denk ik bij mezelf. Ik wil niet dat iemand me met

Julia ziet. Straks krijgt Maud weer een verkeerd beeld van me.

'Ik eh...'

'Het hoeft niet lang te duren. Een paar minuutjes en je bent weer van me af.'

Ik twijfel. 'De jongens zitten thuis op me te wachten.'

'Drie minuutjes,' zegt Julia, terwijl ze een paar stappen achteruit zet. 'Kom, daar is een bankje.'

Zwijgend loop ik achter haar aan. Hoe komt het toch dat zíj altijd alles bepaalt tussen ons? Toen we vorig jaar wat met elkaar hadden kon ik me daar ook al zo flauw aan ergeren. Julia is zo'n typje dat gewend is altijd haar zin te krijgen. We konden dan ook vreselijk ruzie met elkaar maken. Soms snap ik niet wat ik ooit in haar gezien heb.

Bij het eerste bankje dat we tegenkomen, gaat ze zitten. Automatisch wil ik gaan zitten op de rugleuning van het bankje, maar Julia kijkt me met opgetrokken wenkbrauwen aan. Doe niet zo stoer, zie ik haar denken. Zo nonchalant mogelijk laat ik me neerzakken op het bankje.

'Alles goed?' vraag ik en meteen daarna kan ik mijn tong wel afbijten. Had ik dat niet net twee seconden geleden ook gevraagd? Wat doe ik nu stom dan? Het lijkt wel alsof ik zenuwachtig ben, terwijl ik niets uit te leggen heb. Julia doet gelukkig net alsof ze niets gehoord heeft en is druk bezig met iets te zoeken in haar tasje. Ze kijkt me niet aan als ze een klein potje uit haar tas haalt, het dekseltje er vanaf draait en haar pink door de plakkerige vloeistof haalt.

'Hé, even over die avond van laatst, hè...' Julia kijkt me nog steeds niet aan als ze met haar pink snelle bewinginkjes over haar onderlip maakt en dan twee keer met haar lippen op elkaar klapt. 'Dat was niet helemaal de bedoeling.'

Haar stem klinkt luchtig, alsof ze wil zeggen dat het niet de bedoeling was dat ze mijn cola heeft opgedronken. Het klinkt niet alsof ze er spijt van heeft dat ze mij in een dronken bui heeft proberen te zoenen. Ze moest eens weten wat voor enorme ruzie ik daar met Maud door heb gehad.

'Echt niet, hoor.'

Julia kijkt me nog steeds niet aan. Ze gaat weer een keer met haar pink door het potje. Ze smeert nog een laag van het spul op haar lippen, terwijl daar nog genoeg op zit van net.

Ik voel hoe de stilte langzaam steeds ongemakkelijker wordt, maar ik dwing mezelf niets te zeggen. Laat haar maar eerst écht sorry zeggen. De hele actie sloeg nergens op, daar mag ze best haar excuses voor aanbieden. Ik blijf naar haar gezicht kijken, maar zij blijft naar haar handen kijken, die ze nu in haar schoot heeft gelegd.

'Goed dan, Raoul. Wat wil je horen?'

Ze kijkt me recht aan als ze zegt: 'Dat ik het niet had moeten doen? Misschien, maar jij deed net zo goed mee. Jij liep de hele week daarvoor al met me te flirten. Jij zei ook dat je nog aan mij dacht. En wanneer ik dan een move naar je maak, is het opeens van: "Nee, dat wil ik niet, want ik heb met Maud."'

Het laatste zegt ze op een zeikerig toontje. Wat is dat toch, dat mensen altijd andere mensen nadoen met een raar stemmetje?

'Dat heb ik helemaal niet gezegd,' zeg ik en ik hoor zelf hoe kinderachtig het klinkt.

'Goed, dan heb je dat niet precies op die manier gezegd,' zegt Julia terwijl ze met haar hand mijn opmerking wegwuift. 'Maar wel zoiets, toch? Dat je met Maud verkering hebt?'

Hoe doet Julia dat toch? Opeens zijn de rollen omgedraaid en is zij degene die de vragen stelt. Opeens ben ík degene die moet verdedigen wat er wel en niet is gezegd.

'Klopt,' zeg ik, terwijl ik haar zo uitdagend mogelijk aankijk. 'Ik vond niet dat ik het kon maken tegenover Maud.'

'Prima,' zegt Julia met toegeknepen ogen. 'Prima.'

'Goed dan,' zeg ik.

Ze blijft me strak aankijken, net zo lang tot ik wegkijk. 'Ach, jij ook altijd,' sist ze. 'Laat ook maar.'

'Wat?' zeg ik automatisch. Maar eerlijk gezegd interesseert het me niet eens zoveel wat ze wil zeggen.

'Ik heb een nieuwe vriend,' zegt ze dan terwijl ze opstaat. 'En hij is ook verliefd op mij.'

Verwacht ze nu dat ik haar ga feliciteren? Dat ik jaloers ga doen? Het liefst zou ik een bijdehante opmerking maken, dat het niet best zou zijn als haar nieuwe vriend níet verliefd op haar zou zijn, maar ik houd me in. In plaats daarvan zeg ik: 'Ik hoop dat je gelukkig met hem wordt, Juul.'

Ik zeg het niet eens met een ondertoontje. Ik hoop echt dat ze gelukkig met hem wordt en ik hoop dat die jongen...

'Het is Job,' zegt ze dan.

In haar ogen verschijnt in een flits een soort twinkeltje. 'Die zag je niet aankomen, hè?' zegt het twinkeltje.

'Mauds broer, weet je wel,' zegt ze opvallend luchtig.

Alsof ik niet weet wie Job is. Alsof ik niet weet dat Job Mauds broer is.

'Job...' zeg ik langzaam.

Julia knikt. 'Job.' Ze lacht kort en zwiept haar haren naar achteren. 'Ik vond hem al veel langer leuk,' begint ze te ratelen, 'maar ik had nooit gedacht dat hij mij ook leuk zou vinden. Ik bedoel: hij is wel héél knap.'

Job, de broer van Maud, Job?

Job, mijn teamgenoot van de voetbal, Job?

Job, die ik drie dagen geleden nog heb gezien, Job?

'Ik geloof er niets van,' zeg ik en ik hoor zelf hoe jaloers het eruit komt. Maar zo bedoel ik het helemaal niet. Ik vind het alleen vreemd dat ik het nog niet eerder gehoord heb.

'Niet?' lacht Julia. 'Nou, wen er maar aan, want het gaat hartstikke goed tussen ons.'

Met een grote glimlach geeft ze me een knipoog. 'Komen we alsnog bij elkaar in de familie,' zegt ze, terwijl ze denkbeeldige pluisjes van haar bovenbeen strijkt.

'Maud en jij, Job en ik,' zegt ze met nadruk op *jij* en *ik*, als ze ziet dat ik het niet meteen doorheb. 'Mocht alles goed blijven gaan, dan krijgen we dezelfde schoonouders.'

Voor ik iets terug heb kunnen zeggen, buigt ze zich daarna naar voren en geeft me een zoen op mijn wang, die gevaarlijk dicht bij mijn mond belandt.

'Maar goed, ik moet er nu echt vandoor, Raoultje. Doe je de groetjes aan Maud? Zeg maar...'

Julia kijkt me even met een schuin hoofd aan.

'Zeg maar dat ik haar vast een dezer dagen wel spreek.'

Wanneer ze wegloopt, voel ik de lipgloss op mijn mondhoek plakken.

'See you, Rááááoul.'

MAUD

Wanneer ik de achtertuin binnenloop, zie ik meteen aan mijn moeder dat het mis is. Ze draagt een grote zonnebril, maar aan haar gezicht kan ik zien dat ze hartstikke boos is. Ook dat nog, denk ik bij mezelf. Daar heb ik nu even helemaal geen zin in.

Nadat ik net wéér een sms'je kreeg van het onbekende nummer, ben ik het even flink zat. *En trouwens, vraag maar eens aan R. hoe lang hij echt met J. heeft gezoend.* Alsof ik zin heb om dat allemaal weer op te rakelen. Ik begon er net van overtuigd te raken dat Raoul er echt niets aan kon doen dat Julia hem begon te zoenen. Maar dan moet ze niet met dit soort gedoe komen.

Volgens Koen was er geen twijfel over mogelijk dat het Julia was die me de sms'jes stuurde. Volgens hem is ze nog steeds hartstikke gek op Raoul. En als ik eerlijk ben, denk ik hetzelfde. Wie vindt het anders nog meer leuk om tussen Raoul en mij te stoken?

'Zo,' onderbreekt mijn moeder mijn gedachten. 'Zien we jou ook nog eens.'

Wat is dat toch voor rare gewoonte van mijn moeder, dat ze altijd in de wij-vorm praat, ook als ze alleen is. Ik wil er wat van zeggen, maar weet een bijdehante opmerking op tijd in te slikken. Mijn moeder is duidelijk niet in de stemming voor grapjes.

Op de tafel ligt een witte envelop die eruitziet alsof 'ie in de gauwigheid is opengescheurd. Het logo herken ik meteen als het logo van de telefoonmaatschappij.

Misse boel.

Dikke vette misse boel.

'Hé, mam,' zeg ik zo luchtig mogelijk, waarna ik neerplof op een stoel. 'Warm, hè?'

'Hmm,' zegt mijn moeder terwijl ze haar schouders ophaalt. Over de glazen van haar zonnebril heen kijkt ze me strak aan als ze de envelop oppakt en er mee voor haar gezicht wappert. 'Het valt nog wel mee met de warmte.'

Ik zucht zo onopvallend mogelijk. Wat ik ook had gezegd, het had niet uitgemaakt. Ze had hoe dan ook het onderwerp wel op de envelop gebracht. Ik kan er net zo goed zelf over beginnen.

'Het spijt me, mam...'

'Vijfentachtig euro! Vijfentachtig euro, Maud!' Met een ruk haalt ze het afschrift uit de envelop en houdt hem voor mijn gezicht. 'Ben je niet helemaal goed bij je hoofd?'

Van schrik weet ik even niets te zeggen. Vijfentachtig euro? Dat kan nooit. Zo veel heb ik echt niet gebeld.

Mijn moeder kijkt me zwijgend aan.

Ik kan beter niets zeggen, weet ik. Het beste is om nu naar de grond te kijken en te wachten totdat haar woede is gezakt.

'Nou? Komt er nog wat van? Hoe dacht je dit te gaan betalen?'

Heel kort haal ik mijn schouders op. Ik weet echt niet hoe ik het ga betalen. Vijfentachtig euro! Ik weet dat ik veel heb gebeld de laatste weken maar zo veel... Alsof ik hier niet gigantisch van baal! Weet je wat ik daar allemaal van had kunnen kopen?

'Nou, je neemt maar mooi een krantenwijk, of zo,' zegt mijn moeder en ze gooit de rekening voor me neer.

Wanneer ik voor elke keer dat zij zegt dat ik eens een krantenwijk moet nemen, een euro zou krijgen, zou ik die hele kranten-wijk niet hoeven te lopen, denk ik. Maar ik zeg het niet.

Heel snel werp ik een blik op de telefoonrekening. Het staat er toch echt: € 84,76. Heb ik dan echt zo veel ge-sms't en gebeld? Zou Raoul ook zo'n hoge telefoonrekening hebben? Ik moet stie-kem lachen. Vijfentachtig euro. Wie ooit beweerde dat liefde gra-tis is, is blijkbaar nog nooit verliefd geweest.

Mijn moeder kijkt nog even zuur voor zich uit als ik mijn te-lefoon uit mijn tas haal en net doe alsof ik een nummer intoets. 'Even Raoul bellen, hoor,' zeg ik, met mijn mobiel tegen mijn oor gedrukt. 'Vragen of hij ook zo'n hoge telefoonrekening heeft.'

Mijn moeder kijkt alsof ik haar net heb voorgesteld mijn haar te millimeteren. 'Ben je nou helemaal gek geworden? Je hangt nu meteen die telefoon op!'

Ik houd mijn mobiel naar haar op om te laten zien dat ik nie-mand bel en schud mijn hoofd. 'Geintje, mam,' lach ik. 'Met zo'n hoge telefoonrekening laat ik hem mij voortaan wel bellen. Je trekt helemaal wit weg. Moet ik de dokter soms voor je bellen? Wel met de huistelefoon, natuurlijk.'

'Ja, ja.' Mijn moeder zucht overdreven, maar ik kan zien dat het hoogtepunt van de ruzie alweer is geweest. 'Maak er maar weer grapjes over. Als je maar wel weet dat je die rekening helemaal zelf gaat betalen, dametje.'

Dametje, ril ik in mezelf. Alleen 'mevrouwtje' is misschien nog erger. Maar op dit moment mag mijn moeder me alles noemen, zolang we maar geen ellenlange ruzie hebben.

'Ik heb nog wat verjaardagsgeld over,' zeg ik. 'En als ik een voor-schot krijg op mijn zakgeld, moet ik de rekening makkelijk kun-nen betalen. Geen probleem, mam.' Ik geef haar mijn allerliefste glimlach. 'En ik beloof dat de volgende rekening niet meer zo hoog wordt.'

Mijn moeder kijkt me met toegeknepen ogen aan alsof ze me voor het eerst ziet en schudt dan even kort haar hoofd. 'Maudjemaud toch,' mompelt ze in zichzelf. Dan schuift ze de rekening over de tafel naar me toe en geeft me een knipoog. 'Alsjeblieft. Voor op je Raoul-prikbord.'

Ik voel dat ik een kleur krijg. Natuurlijk heeft ze gezien dat ik mijn hele prikbord vol heb gehangen met foto's van Raoul die ik op internet heb gevonden. Zelf vind ik het ook wat stalkerig aandoen, maar ik kan gewoon echt niet maar één foto kiezen. Hij is zo fotogeniek dat hij er op elke foto mooi opstaat.

Ik schrik op van mijn telefoon die twee keer snel achter elkaar af gaat.

'Kijk, daar komen die hoge telefoonrekeningen ook van,' zegt mijn moeder terwijl ze over de rand van haar zonnebril kijkt. 'Kunnen jullie niet gewoon één sms'je naar elkaar sturen? Hoeveel woorden heb je nodig om te zeggen dat je elkaar lief vindt?' Ze lacht kort en hoog om haar eigen grapje.

Wanneer ik mijn telefoon openschuif, weet ik bij het zien van de laatste drie cijfers al genoeg. Heeft Julia niets beters te doen dan mij de hele tijd sms'jes te sturen? Als ik verstandig zou zijn, zou ik ze niet eens lezen. Maar ik ben te nieuwsgierig om verstandig te zijn.

'Wat zucht je diep,' zegt mijn moeder.

Ik kijk op. 'Deed ik dat?'

'Hmm. Is er iets?'

Ik klap mijn telefoon dicht en lach zo breed mogelijk. 'Nee, wat zou er moeten zijn dan?'

'Alles goed met jou en Raoul?'

'Omdat ik één keer zucht?' lach ik kort. 'Misschien heb ik het wel warm en zucht ik daarom.'

Mijn moeder kijkt me even aan en schudt dan haar hoofd. 'Heb ik je veertien jaar zo goed proberen op te voeden en heb ik zo'n slechte leugenaar van je gemaakt.'

Ik voel hoe de lucht in mijn keel plaatsmaakt voor een echte lach.

'Er is niets, mam. Echt niet.' Ik kijk haar recht aan en zeg dan: 'Tenminste, niet iets waar jij je zorgen over hoeft te maken.'

Ik slinger mijn tas over mijn schouder en lach nog een keer extra breed als ik opsta. 'Echt niet.'

De telefoon brandt in mijn hand als ik de trap op loop naar mijn kamer. Hoe zielig is dat mens dat ze me vier sms'jes op één dag stuurt?

Koen had gelijk dat dit typisch een meidenactie is. Alleen meiden kunnen zo vals en onderhuids gemeen doen. En wie anders is er verliefd op Raoul? Juist omdat ze over zichzelf begint, leidt ze de verdenking van zichzelf af. Toch?

Ik druk de ontgrendeling van mijn telefoon zo hard in, dat mijn nagel achter het knopje blijkt haken. Het envelopje knippert irritant op mijn display.

'Ja-ha,' mompel ik.

Het eerste sms'je staat vol met taal- en tikfouten, alsof het in alle haast is geschreven: *'Jd raad noit wie r nu samen op t bankje in t winkelcntrum zittten?'*

Ik hoef het tweede berichtje niet eens te openen om te weten wat er staat: *'Goed geraden! R. & J.!'*

RAOUL

'Heb jij gisteren met Julia gesproken?'

Maud kijkt me zo boos aan dat ik even vergeet dat ik met mijn mond de dop van de fles cola wilde draaien. 'Huh?'

Hoe weet zij dat nu alweer?

'Dus het is nog waar ook?'

Ruw schuift ze de tuinstoel een stukje achteruit en plant haar blote voeten tegen de tuintafel. 'Ik dacht dat het misschien onzin was, maar het is dus nog waar ook.'

'Dat wat onzin was?' vraag ik.

'Jij en Julia, natuurlijk!' zegt Maud boos. 'Iemand had jullie gezien, maar ik kon me bijna niet voorstellen dat het ook echt zo was.'

Ik spuug de coladop uit en haal met mijn tong een stukje plastic tussen mijn tanden weg.

'Het is niet wat je denkt,' zeg ik.

'Ach, nee zeker,' lacht Maud zonder te lachen. 'En het was ook vast niet je bedoeling.'

Ik voel dat ik boos word. Wat doet ze nu opeens dramatisch dan? 'Luister nou...' Ik probeer oogcontact te maken, maar Maud heeft het opeens erg druk met het lospeuteren van een velletje bij haar nagels. 'Goed dan,' zucht ik. 'Als het zo moet... Ik kwam Julia gisteren tegen in het winkelcentrum en ze wilde me wat vertellen.'

Ik zeg expres niet meteen wat Julia heeft gezegd. Maud wordt gelijk zo boos als de naam 'Julia' valt. Alsof ik echt ben vreemdgegaan!

Zonder haar verder meer aan te kijken, schenk ik twee glazen vol met cola. 'Wist jij dat zij en Job wat met elkaar hebben?' vraag ik dan.

De cola klokt opeens veel harder dan normaal in de glazen. Het is alsof dat het enige is wat nog geluid maakt. Dat en de zware ademhaling van Maud.

'Job?' vraagt ze langzaam. 'Met Job? Wat? Verkering?'

Maud bukt haar hoofd om zo oogcontact met me te krijgen.

'Job, mijn broer, mijn broer Job?' zegt ze met een dun stemmetje.

Op slag heb ik medelijden met haar. Ik heb de neiging om te zeggen dat het niet zo is, dat het een flauw grapje van me was en dat Job natuurlijk geen verkering met Julia heeft.

'Wat gek... Ik... Job heeft me...' begint ze zinnen zonder ze af te maken. Met haar nagels trekt ze zachtjes cirkels over haar knie. 'Ik vind Julia helemaal geen type voor Job, jij wel?'

Ze kijkt me even zwijgend aan, maar ik zeg niets. Ik zou niet weten wat het goede antwoord is. Zeg ik van niet, dan verwijt ze me dat Julia wel mijn type is. Zeg ik van wel, dan vat Maud dat weer op als een teken dat Julia iederééns type is.

'Ik vind Wendy ook niet Jobs type, maar blijkbaar had ik het daarin ook mis.'

'Wendy?' vraagt Maud. 'Heeft 'ie daar ook wat mee gehad?'

Ik kan aan Mauds gezicht zien dat ze het allemaal even niet meer volgt. Ik zou het ook hebben als ik net had gehoord dat mijn broer én verkering heeft met een type als Julia én heeft gezoend met een type als Wendy. Beiden zijn ze niet het type lief, leuk en aardig. Vooral die Wendy is het schoolvoorbeeld van een meisje dat je het bloed onder je nagels vandaan kan halen met haar gezeur en haar geroddel.

Ik haal mijn schouders op. 'Nee, niet echt. Wendy vond Job volgens mij wel echt leuk, maar voor hem was het één dronken zoen en meer niet.'

Maud lacht zachtjes en schudt haar hoofd. 'Dan zit je in dezelfde familie, woon je in hetzelfde huis en dan weet je echt helemaal niets van elkaar.'

In een impuls trek ik haar naar me toe en geef haar een zoen op haar haren.

'Dat van Wendy hoorde ik ook toevallig van Jasper,' zeg ik. 'Als het aan Job ligt, komt niemand dat ooit te weten.'

'En van Julia wel? Daar is 'ie wel trots op?'

Ik haal mijn schouders op. 'Zoals ik het begreep zijn ze verliefd op elkaar. Zo zei ze het tenminste wel. "Ik heb een vriend en hij is ook verliefd op mij."'

Maud kijkt me met gefronste wenkbrauwen aan. 'Dat lijkt me logisch, dat je vriend ook verliefd op jou is. Stom kind.'

Ik moet me inhouden om Maud niet weer heel dicht tegen me aan te trekken. Juist om dit soort opmerkingen ben ik zo gek op haar.

'En ik weet wel dat het jouw ex-vriendin is,' zegt ze dan, terwijl ze van me wegkijkt. 'Maar ik vind haar gewoon echt een stom kind. En niet alleen omdat ze je ex is. Zij is gewoon zo'n... zo'n meisje dat andere meisjes automatisch haten, snap je?'

Maud kijkt me weer aan. 'Snap je?' zegt ze nog eens.

Ik weet niet zo goed wat ze wil horen. Als ik zeg dat ik het snap, lieg ik. 'Ik denk het.'

'Hmm,' zegt Maud en ze is even stil daarna. 'En dan nog die achterlijke move van haar, toen ze jou probeerde te zoenen... Daardoor vind ik haar al helemaal niets meer aan.'

Ik heb het gevoel alsof ik me op glad ijs begeef met schaatsen die jarenlang op zolder hebben liggen roesten. Elke verkeerde beweging die ik nu maak, kost me zes weken om de boel te herstellen.

'Raoul? Je hebt haar toch meteen van je af geduwd, hè? Jullie hebben niet écht gezoend, toch?'

En we zijn er.

'Ik bedoel...' begint ze, 'als het wél zo is, dan hoor ik dat graag van jou.'

Ze krijgt het steeds drukker met het lospeuteren van de velletjes van haar nagels.

Ik snap niet waar dit opeens vandaan komt. Ik heb tot in detail verteld hoe Julia met een naar Malibu stinkende walm op mijn schoot ging zitten. Ik heb haar verteld dat Julia op mijn schoot kroop en haar tong in mijn mond duwde. Ik heb haar verteld dat ik Julia van me af duwde en dat we ruzie hebben gemaakt. Ik heb haar alles al verteld. Waarom begint ze er nu weer over?

'Zit je er nog zo erg mee?' vraag ik.

Maud haalt haar schouders op.

'Ja, dus,' concludeer ik.

'Soms,' zegt ze zonder me aan te kijken. 'Ik heb soms het idee dat...'

Vanuit haar tas klinkt dof het bliepje van haar telefoon.

'Je hebt een sms'je,' zeg ik overbodig.

'*Saved by the bell*,' zegt ze tegelijkertijd.

Zonder hem uit haar tas te halen, klapt ze haar telefoon open. Op de voering van de tas valt heel even een schaduw van het licht van haar mobieltje. Meteen daarna klapt ze hem weer dicht en kijkt ze mij lachend aan. Het is alsof er binnen een seconde een compleet ander meisje voor me is gaan zitten.

'Wat is er?' Ik hoor zelf het spottende ondertoontje in mijn stem, maar ik snap even niet waar ze die transformatie opeens vandaan tovert. En wie checkt er nou op zo'n vreemde manier zijn sms'jes? Ze kan hem haast niet gelezen hebben, zo snel klapte ze haar mobiel alweer dicht. 'Zit je een beetje te sms'en met je tweede vriendje, of zo?'

Even lijkt het erop alsof ze schrikt. Op een veel te serieuze toon zegt ze dan: 'Dat zou ik nooit doen. Dat weet je.'

'Heb je me wat te vertellen, schatje?' vraag ik zo luchtig mogelijk.

Maud rommelt nog wat in haar tas en kijkt me dan aan. 'Ik niet. En jij ook niet. Over Julia of wie dan ook. Dus laten we er maar over ophouden, oké?'

Ik kijk haar aan. Haar ogen glanzen en in haar onderlip trilt een spiertje. Ik wil zo veel zeggen. Zeggen dat die hele Julia me niets uitmaakt. Zeggen dat ze er nooit maar een seconde bang voor hoeft te zijn dat die Julia me nog iets doet. Zeggen dat ik nu al veel, veel gekker op haar ben dan dat ik dat ooit op Julia was. Maar ik zeg helemaal niets van dat alles. Ik zeg alleen: 'Kom eens even hier,' en trek haar dicht tegen me aan. Tegen mijn borst voel ik haar hart bonzen.

MAUD

Ik heb zin om een potje te gaan janken.

Ik trap zo hard als ik kan de trappers rond. Het liefst zou ik nu naar Lynn toe fietsen, maar ik ben bang dat ze nog bozer wordt als ze ziet dat ik huil om Raoul.

Vorige week heb ik nog een heel gesprek met haar over Raoul gehad. 'Maar even eerlijk, Maud,' zei ze toen. 'Hoe jij soms over Raoul praat... Hij lijkt wel perfect. Dat kan toch niet?'

Ik had mijn schouders opgehaald. 'Waarom niet? Waarom moeten jongens altijd eikels zijn die tegen je liegen, je keihard dumpen om niets of vreemdgaan? Alsof er geen normale jongens bestaan.'

Ik snapte toen niet waarom Lynn soms zo pessimistisch kan doen. En nu baal ik ervan dat Lynn misschien wel gelijk krijgt.

Waarom zei Raoul niets over zijn gesprek met Julia? Waarom moest ik er zelf over beginnen? Had hij het me überhaupt wel verteld, als ik er zelf niet over was begonnen?

Op dit soort momenten zou ik willen dat ik niet zo verliefd was. Dan doet het ook niet zo'n pijn als de sms'jes waar blijken te zijn. Maar ik kan het ook niet helpen. Het samentrekken van mijn maag, het licht worden in mijn hoofd, het droog worden van mijn mond, het klam worden van mijn handen: ik wéét dat het allemaal clichés zijn, maar het is echt zo. Ik moet mijn handen soms echt aan mijn spijkerbroek droogvegen als ik Raoul zie. Ik voel echt hoe mijn speeksel wegtrekt in mijn mond als Raoul me opeens lachend aankijkt.

Ik wil hem zo graag geloven. Toen ik hem net vroeg hoe lang hij met Julia had gezoend, zag ik dat hij gekwetst was omdat ik nog steeds aan hem twijfel. En misschien doe ik dat ook wel. Misschien ben ik daarom soms wel zo gemeen tegen hem, zodat hij het dan niet meer tegen mij kan zijn.

Ik bijt hard op mijn wang. Die stomme slachtofferrol moet maar eens afgelopen zijn.

Net kreeg ik weer een sms'je, waar Raoul bij zat. Ik deed net alsof ik er heel blij van werd, terwijl ik meer zin had om in huilen uit te barsten en Raoul alles te vertellen, zodat hij het voor me op kan lossen. Maar ik moet eerst zelf uitzoeken van wie die berichtjes zijn, voordat ik Raoul erbij betrek. Ik moet eerst zeker weten of die berichtjes echt niet waar zijn.

Ik trap de trappers nog harder rond. Het laatste berichtje ging niet over Julia.

Vraagje: waarom zegt R. niet dat jij zijn vriendin bent? Antwrd: omdat 'ie het ook niet met je meent, muts...

Ik weet waarom ik me het zo aantrek. Omdat het precies de vraag is waar ik al een kleine drie weken mee zit.

Ik schud mijn hoofd alsof ik zo de vraag uit mijn hoofd schud. Het is tijd voor een andere aanpak. Hoe kom ik erachter wie mij deze sms'jes stuurt? Kun je bij een telefoonzaak laten uitzoeken wie er met dat nummer belt? Of zou je zoiets ook op internet kunnen opzoeken?

Ik rem af en draai mijn fiets om.

Koen weet dat soort dingen vast wel.

'Natuurlijk kun je er heel gemakkelijk achter komen wie jou die sms'jes stuurt. Geef me je telefoon eens.'

Zie je nu wel, denk ik bij mezelf. Koen weet dat soort dingen. Bij elke crisis weet hij gewoon raad.

Ik houd mijn mond onder de kraan en neem een paar slokken water achter elkaar. Als ik met de rug van mijn hand mijn mond afveeg, zie ik pas wat Koen aan het doen is. Is 'ie nu gewoon aan het bellen?

'Wat doe jij nou, gek!'

'Ssst...' zegt Koen, terwijl hij mijn telefoon dicht tegen zijn oor houdt. Hij knijpt zijn ogen heel kort samen alsof hij daardoor beter gaat horen, en drukt dan op het uit-knopje. 'Voicemail,' zegt hij alleen.

'Je gaat toch niet bellen?' Ik gris de telefoon uit zijn handen. 'Wat als er iemand had opgenomen?'

Koen kijkt me aan. 'Dan had ik geweten wie jou die sms'jes stuurde. Hoe dacht je dan dat ik erachter wilde komen? Door een geheime code in te toetsen of zo?'

Ik snuif. 'Natuurlijk niet.'

'Van de voicemail word je trouwens ook niets wijzer. Het is zo'n standaardvoicemail die alleen het telefoonnummer herhaalt.'

'En nu?' zeg ik.

Koen haalt zijn schouders op. 'Ik weet het ook niet. Heb je het al via internet geprobeerd?'

Een half uur later heb ik alles geprobeerd. Ik heb het telefoonnummer gegoogled, heb hem door allerlei zoekmachines gehaald, heb op websites van telefoonaanbieders gekeken, maar ik ben geen stap verder.

'Zal ik nog een keer bellen?' vraagt Koen.

'Eerlijk gezegd denk ik dat dat weinig zin heeft,' zeg ik. 'Als diegene mijn nummer in beeld ziet, gaat 'ie echt niet met zijn naam opnemen.'

Koen knikt zijn hoofd. 'Ja, daar heb jij weer gelijk in.' Hij trommelt met zijn vingers op het bureaublad en zegt dan: 'Heb je al eens een keer wat teruggestuurd? Misschien werkt dat.'

'Wat moet ik daarin zetten dan? "Wil je er alsjeblieft mee ophouden?"'

'Of iets heel stoers: dat je haar in elkaar slaat als ze nog wat stuurt.'

'Ja,' lach ik. 'Dan moet ik alleen wel eerst leren vechten.'

'Of bluf gewoon,' zegt Koen dan. 'Stuur gewoon: "Hé Julia. Ik weet allang dat jij het bent. Ophouden nu."'

Ik knik langzaam. Dat is misschien nog niet eens zo'n gek idee. Als zij een spelletje wil spelen, maak ik er met alle liefde een potje poker van. En dan mag ik misschien wel niet de beste kaarten hebben, bluffen kan ik wel.

Ik wil net zeggen wat voor briljant idee ik het vind, van Koen, als ik een sms'je krijg. Mijn mond wordt op slag droog van schrik.

'Nou?' vraagt Koen.

MM! Morgen, wij met zn 2, ok? Ok! X mij.'

'Aah,' zegt Koen. 'Goed nieuws, aan je gezicht te zien.'

Ik grijns als ik mijn telefoon weer inklap. Raoul.

RAOUL

'Je moet hem ook wel op tijd omdraaien, sukkel! Kijk nou, nu is 'ie helemaal zwart aangekoekt!'

Mijn zus kijkt me boos aan als ze me achter het fornuis weg-duwt.

'Ga uit mijn keuken, jij,' schreeuwt ze overdreven.

'Alsof jij weet hoe het moet,' zeg ik terwijl ik de spatel op het aanrecht gooi. 'Die spaghetti van gisteren was net touw waar ik op zat te kauwen.'

Nadia doet wat extra boter in de pan en grijnst. Je zou denken dat mijn zus inmiddels in het jaar dat ze op kamers zit heeft leren koken, maar verder dan touwspaghetti en plakmacaroni is ze nog niet gekomen. De zomervakantie besloot ze daarom maar thuis door te brengen, maar helaas boekten pa en ma op het laatst nog een reisje naar de zon, zodat ze alsnog voor zichzelf moet koken. We zijn nu bijna een week alleen thuis en we zijn de patat en de pizza en de shoarma en de afhaalchinees flink zat. We hebben daarom voor de laatste paar dagen een dealtje gemaakt: de ene dag kookt zij en de andere dag kook ik. Vandaag is mijn beurt.

'Pfff.' Nadia blaast mijn kant op. 'Bij mij thuis weten ze dat an-ders allemaal prima binnen te houden.'

Ik hijs mezelf op het aanrecht. 'Ja. Die keuken in jullie studen-tenhuis is zo ranzig, dat je inmiddels immuun bent geworden voor voedsel dat niet te vreten is.'

'Hier,' zegt Nadia terwijl ze de spatel weer in mijn handen drukt. 'Wil je het nu leren of niet? Laag vuur, om de minuut een keer omdraaien en dan kan er niets met je hamburger gebeuren.'

Zonder iets te zeggen spring ik van het aanrecht en ga weer achter het fornuis staan. Ik moet toch ooit een keer leren koken, wil ik later op mezelf wonen.

'Vergeet je niet de broodjes vast af te bakken,' zegt Nadia als ze mijn plek op het aanrecht inneemt. 'En een uitje te snijden? Ik wil graag een broodje hamburger speciaal.'

'Zal ik er ook nog even een gezonde salade bij serveren?'

'Graag,' zegt Nadia, mijn sarcasme negerend. 'Met tomaatjes, geen komkommer.'

Op gevoel wacht ik een minuutje en draai dan de hamburger om. Als ik straks de zwarte randen ervan afschraap, is er helemaal niets mis met dat burgertje, denk ik tevreden.

'Sukkel...'

'Sorry?'

'O, ik had het niet tegen jou,' zegt Nadia, terwijl ze druk een sms'je tikt.

'Je nieuwe vriendje?'

In plaats van een snauw te geven dat ik me er niet mee moet bemoeien, haalt Nadia haar schouders op. 'Misschien.'

'Misschien? Mij de afgelopen weken een beetje in de zeik zetten, terwijl je zelf hartstikke verliefd bent. Nou, vertel op. Wie is het?'

'Haal die spatel uit mijn gezicht,' lacht Nadia, terwijl ze haar handen omhoog houdt. 'Je kent hem toch niet. Ik ken hem van mijn studie.'

'Dus? Hoe heet 'ie? Waar komt 'ie vandaan? Doet hij een beetje normaal tegen je?'

Nadia kijkt me vreemd aan. 'Waar komt dit ineens vandaan?'

Ik haal mijn schouders op.

'Och, kijk hem opeens de bezorgde broer uithangen,' lacht Nadia, terwijl ze van het aanrecht af springt en een snijplank uit het keukenkastje haalt. 'Normaal interesseert het je ook niet met welke, en dan quote ik je, "losers" ik omga.'

'Klopt,' zeg ik. 'Maar toen wist ik nog niet hoe jongens zijn als ze een meisje leuk vinden.'

Vanuit de la pakt Nadia een mes. Met een paar handige bewegingen snijdt ze een ui doormidden en gooit de ringen even later bij de hamburger in de pan.

'En nu?' vraag ik.

'En nu moet je die even meebakken.'

'Ik bedoelde eigenlijk met die student van je.'

'O,' lacht Nadia. 'O. Eh... We zien elkaar over drie weken weer. Hij is hartstikke druk met zijn hertentamen. En hij had ook al allerlei dingen met vrienden afgesproken waar hij niet meer onderuit kon.'

'Dus?' lach ik. 'Hij kan niet een uurtje voor je vrijmaken?'

'Wat bedoel je?'

Mijn zus mag dan wel dik twee jaar ouder zijn, soms snapt ze er helemaal niets van. 'Hij sms't je dat hij pas over drie weken weer tijd heeft? Dan is de zomervakantie bijna afgelopen.'

'Dus?'

'Dus heeft hij ín de zomervakantie lekker kunnen doen wat hij wil doen met andere chickies.'

Nadia kijkt me aan alsof ik haar net heb verteld dat ik okselharen in een plakboek verzamel. 'Dat jij zo bent, betekent toch niet dat alle jongens zo zijn?'

'Wel als ze niet verliefd zijn.'

'En meneer is opeens relatiedeskundige omdat hij ook een keer verliefd is?'

'Je hoeft niet zo lullig te doen,' zeg ik. 'Ik probeer je alleen maar te zeggen waar je anders over een paar weken zelf achter komt. Die jongen is niet verliefd op je, zus.'

Naad kijkt me even boos aan en zegt dan: 'Ach, wat weet jij daar nu van.'

Ik haal mijn schouders op. Ik zeg niet dat wanneer een jongen je leuk vindt, hij je meteen terugsms't (ook al is het drie uur 's nachts en moet hij er 's ochtends weer vroeg uit), hij je een zoen op je mond geeft als jullie elkaar zien, hij je hand in het openbaar vasthoudt, hij niet in jouw bijzijn rookt omdat je dat vies vindt, hij je aan zijn vrienden voorstelt, hij je uit zichzelf opbelt, hij echt wel onthoudt wanneer jullie voor het eerst gezoend hebben, hij niet met andere meisjes zoent (ook al 'stelt het niets voor'), hij geïnteresseerd is in je vriendinnen (maar niet te), hij niet kijkt naar andere meiden (althans, niet als jij naast hem loopt), hij zijn wekelijkse stapavond met zijn vrienden een keer overslaat, hij het liefst met zijn tweeën wil zijn, hij het niet erg vindt om de hele zaterdagmiddag in de stad te slenteren, hij liever met jou naar de bioscoop gaat dan dat 'ie voor zijn tentamens leert, hij zijn best doet om zijn boer- en ruftgewoontes in te houden (op zijn minst de eerste drie dates), hij standaard een vol pakje kauwgom op zak heeft, hij zijn sms'je met 'sorry' begint als hij te laat reageert, hij wazig begint te kijken als er een romantisch nummer op de radio speelt, hij zijn armen om je heen slaat in een drukke discotheek en je een kus op je hoofd geeft, hij jaloers wordt als je even met een andere jongen praat, hij opvallend vaak zijn zwarte V-halstrui draagt omdat je ooit hebt opgemerkt dat die hem zo goed staat, het zijn omgeving ook opvalt dat hij verliefd is – hij eigenlijk alles doet wat een meisje ook doet als ze verliefd is.

'Geloof mij nou maar,' zeg ik, terwijl ik de hamburgers op een bord leg. 'Ik weet echt wel waar ik over praat.'

'Hm. Als jij het allemaal zo goed weet, waarom zit je dan nu bij je zus in plaats van bij je vriendinnetje?'

'Dat ik weet dat die jongen geen interesse heeft in jou, wil toch niet zeggen dat ik meteen alles weet?' Ik gooi dramatisch mijn handen in de lucht. 'Meiden!' zucht ik overdreven. 'Hoe moet ik nu weten wat zíj leuk vinden.'

'Aha...' lacht Nadia. 'Je wilt iets doen met Maud, iets bijzonders.'

Ik lach slapjes. Ik wil Maud laten zien dat ik het meen. Dat ze zich nooit meer druk hoeft te maken over Julia. Ik wil haar laten zien dat ik verliefd op haar ben, zonder als een verliefde sukkel over te komen.

'Wil je iets romantisch voor Maud doen?' vraagt Nadia.

'Alsjeblieft,' zeg ik stoer en ik krab overdreven over mijn bovenarmen. 'Van het woord "romantisch" krijg ik spontaan jeuk.'

'Ach, natuurlijk,' zegt Nadia. 'Bij jullie moet je vaak voorzichtig zijn in hoe je dingen omschrijft. Wat je bedoelt is dat je iets leuks voor Maud wilt doen, om haar te laten zien dat je gek op haar bent.' Ze legt overdreven veel nadruk op *leuk* en *gek* en knipoogt dan naar me. 'Nou, simpel dan. Wat vindt ze leuk?'

'Ja, als ik dat wist...'

'Zwemmen?'

'Mwah.'

'Koken valt ook af.'

'Hoezo?'

'Stom van me,' zegt Nadia. 'Maud houdt wél van een voedselvergiftiging, was het niet?'

'Trut,' zeg ik expres met volle mond. 'Deze smaken beter dan bij de Mac.'

'Is dat geen idee? Naar de Mac?'

Ik zeg niets.

'Naar de bioscoop?'

'De bioscoop zegt toch niet: "Ik ben hartstikke gek op je?" De bioscoop zegt: "Ik vind je wel aardig, maar niet bijzonder genoeg om iets bijzonders te verzinnen voor onze date."'

'Hé!' valt Nadia uit. 'Op bijna al mijn eerste afspraakjes ga ik naar de bioscoop. Daar is niets mis mee.'

'O ja,' zeg ik. 'En met hoeveel van die jongens heb je nu verkering...? Dat dacht ik al.'

'Naar de dierentuin, dan?'

'Serieus?'

'Een middag shoppen?'

'Zie ik eruit alsof ik geld heb?'

'Je hoeft toch niet meteen dingen te kopen?'

'Nee,' zeg ik. 'Dan maak ik indruk.'

'Bowlen dan? Naar een karaokebar?'

'Wat zijn dat voor losers die jou mee uit nemen? Zijn dit echt allemaal voorbeelden uit eigen ervaring?'

Nadia negeert mijn opmerking. 'Dan weet ik het ook niet, hoor. Je zou haar 's avonds mee kunnen nemen voor een strandwandeling, maar waarschijnlijk krijg je daar ook "jeuk" van.'

Een strandwandeling! Oké, het klinkt een beetje... cliché, maar zo'n gek idee is het niet. Het kost niets, het is romantisch (maar niet te) en het geeft aan dat ik nagedacht heb over iets bijzonders voor haar. En mocht de sfeer er naar zijn, dan teken ik met een stok een hartje in het zand en schrijf er onze namen in. Als dat dan nog niet zegt dat ik het met haar meen, weet ik het ook niet meer.

'Raoul!'

'Hè?'

'Je zou ook met haar naar die hippe loungetent in de stad kunnen gaan die vorige week geopend is. Ik weet niet of ze daar van houdt?'

'Nee, nee, nee,' zeg ik, terwijl ik de laatste hap van mijn broodje hamburger doorslik.

'Die strandwandeling, volgens mij is dat wel wat.'

MAUD

Wanneer ik hem zie, trekt mijn maag pijnlijk samen en voel ik het bloed uit mijn wangen wegtrekken. Soms zou het ook wel eens fijn zijn niet zo lichamelijk verliefd te zijn, denk ik bij mezelf.

Hij heeft een donkergrijze schoudertas om die ik nog niet eerder bij hem gezien heb. Op school draagt hij altijd een zwarte rugzak. Het shirt dat hij aanheeft, heb ik ook nog nooit eerder gezien. Door de witte kleur lijken zijn armen nog bruiner.

'Hé,' zeg ik als ik hem een zoen op zijn mond geef. Omdat hij lacht belandt mijn bovenlip ergens op zijn tanden. Hij smaakt naar tandpasta en kauwgom. Ik hou ervan dat hij naar tandpasta en kauwgom smaakt.

'Nou, vertel op,' lach ik. 'Wat gaan we doen?'

Sinds ik gisteravond laat nog een sms'je van hem kreeg, kan ik aan niets anders meer denken. Een verrassing? Dat stuurde hij.

MM! Ik heb morgenavond een verrassing voor je! PS: vragen om hints hoeft niet, die krijg je toch niet.

Maar wat dan in vredesnaam? En waarom? Is het omdat hij ook zo baalde van die ruzie? Dat jaloerse gedoe van mij ook altijd. Ik moet er eens mee ophouden.

'Ik zeg helemaal niets,' lacht hij terwijl hij op zijn fietst stapt. 'Kom je?'

We zijn al minstens een half uur onderweg. Ik voel mijn haar plakkerig worden van het zweet.

'Is het nog ve-her?' vraag ik op een zielig toontje.

Raoul kijkt me met opgetrokken wenkbrauwen aan. 'Vroeg je nou echt of het nog ver was? Hoe oud ben je? Veertien?'

'Zegt meneer ik-ben-bijna-zestien.'

'Ja. Nog een paar weken en dan gaan we hier op mijn scooter naartoe.'

Meteen flitst er een beeld van Raoul en mij op zijn scooter door mijn hoofd. In mijn gedachten hebben we allebei geen helm op als we het schoolplein op komen rijden. Ik zit bij hem achterop en heb mijn handen losjes op zijn heupen. Mijn haren wapperen door de wind en ik heb een zonnebril op die goud glanst in de zon. Vlak voor de schoolingang waar altijd de populaire groepjes staan, remt Raoul zijn scooter en stap ik af. Raoul strijkt met zijn duim en wijsvinger over mijn kin als hij me een afscheidskus geeft.

Ik weet dat mijn dagdroom nergens op slaat. Dat gebaartje met die duim en die wijsvinger is te glad voor woorden, maar toch komt 'ie telkens weer naar boven als Raoul het over zijn scooter-rijbewijs heeft. In mijn gedachten staat Julia ook bij het populaire groepje. Wat niet eens kan, want Julia heeft een maand geleden haar diploma gehaald. Ze zit niet eens meer bij ons op school.

Geïrriteerd schud ik mijn hoofd. Waarom moet ik nu weer aan Julia denken? Kan ik niet gewoon normaal doen? Blij zijn met mijn verrassing, wat het dan ook is?

'Waar zit je met je gedachten?'

Van schrik haak ik bijna met mijn stuur in die van Raoul. 'Nergens. Hoezo?'

Even legt Raoul kort zijn hand op mijn arm. Hij knikt richting het spoor. 'Die kant op,' zegt hij. 'Als we snel zijn, kunnen we nog oversteken.'

Ik kijk in de richting waar hij naartoe knikt. Ik weet opeens waar we naartoe gaan.

'Ik weet niet of je het leuk vindt, hoor.'

Ik lach zachtjes. 'Dat heb je nu al een paar keer gezegd. Wedden dat ik het leuk vind? En zo niet, dan doe ik net alsof ik het leuk vind.'

Raoul kijkt me aan. 'Daar heb ik toch niets aan,' lacht hij.

'Mag ik een gok doen?'

'Wat we gaan doen, bedoel je?'

'Ja?'

Ik wacht even totdat Raoul een kort knikje met zijn hoofd maakt.

'Ik denk dat we een strandwandeling gaan maken.'

Raoul kijkt even naar mij en dan naar de zee die in de verte voor ons opdoemt. 'Je zou me nu toch niet meer geloven, hè, als ik zeg dat we naar het bos zouden gaan.'

Vanuit mijn tas gaat mijn telefoon één keer af.

'En telefoons uit!' schreeuwt Raoul. 'Geen tijd voor andere jongens, dit keer.'

Ik graai snel in mijn tas en klap mijn telefoon open.

Zo-ho, Maud... Voel je maar niet bijzonder, hoor!

Het liefst zou ik gaan janken, mijn telefoon straks in de zee gooien en iemand schoppen. Maar ik doe niets. Hoe weet Julia-of-wie-het-dan-ook-is wat ik aan het doen ben? Ik zou haast denken dat het Raoul zelf was.

'Maud?'

Ik kijk op naar Raoul. Hoeveel jongens zouden zo'n verrassing regelen voor hun vriendin? En dan is hij nog niet eens officieel mijn vriendje.

'Zullen we daar zo onze fietsen neerzetten? Dan kunnen we vanaf daar de pier oplopen.'

Ik haal diep adem. Je doet normaal, Maud, spreek ik mezelf toe. Je doet gewoon even normaal.

'Prima idee.'

RAOUL

Ik weet niet wat ik verwacht had, maar dit niet. Ze doet zo lauw, haast koud. Ik snap er niets van. In een keer is haar hele stemming omgeslagen. En wéér net nadat ze een sms'je heeft gekregen. Met hangende schouders loopt ze naast me hoopjes zand weg te schoppen. In haar ene hand heeft ze haar schoenen, haar andere hand heeft ze tot een vuist gebald.

Ik ga iets dichter bij haar lopen en pak dan haar hand vast. Ik knijp er voorzichtig in en krijg dan een voorzichtig kneepje terug.

'Nou?' vraag ik. 'Vind je het nog een beetje leuk?'

Het is alsof ik heb gevraagd alle vijftig staten van Amerika binnen een minuut op te noemen, zo verbaasd kijkt ze. 'Waarom zou ik dit niet leuk vinden?' antwoordt ze mat. 'Dit is toch hartstikke bijzonder?'

Ik knik langzaam. 'Ja, dat zal wel.'

Misschien moet ik het gewoon wat luchtiger houden.

'Hé,' zeg ik dan. 'Nadia en ik geven morgenavond een groot feest omdat we dan voor het laatst alleen thuis zijn. En jij bent natuurlijk eregast.'

Maud lacht flauwtjes naar me. 'Klinkt leuk. Wie komen er allemaal?'

'Gewoon. Iedereen. Je mag Lynn ook meenemen, als je dat wil.'

Maud schudt langzaam haar hoofd. 'Ik vraag wel of Koen zin heeft, oké?'

Misschien is het de bedoeling van een romantische strandwandeling dat je niet zo veel zegt, bedenk ik me dan. Misschien moet ik gewoon niet zo veel vragen en is dat het idee achter romantiek: samen stil zijn.

Gefrustreerd schop ik tegen een kartonnen patatbakje dat boven het zand uitsteekt. Wat probeer ik mezelf toch allemaal wijs te maken? Samen stil zijn. Ze had me om mijn nek moeten vliegen en als een klein kind 'Raoul, Raoul, wat lief dat je dit voor me doet' moeten roepen. Ik heb toch niet voor niets blikjes cola meegenomen in mijn tas? Reken er maar niet op dat ik die nu nog tevoorschijn haal.

Opeens geeft ze een klein rukje aan mijn arm en staat ze stil. 'Hé, ik eh...' begint ze.

Ze houdt haar hand boven haar ogen om niet in de zon te kijken.

'Oké,' zegt ze dan. 'Er is iets, waar ik niet met je over kan praten.'

Ze zucht even diep.

'Het is niet iets heel ergs, en ik ga het je ook echt nog wel vertellen, maar nu niet, dus daarom ben ik vanavond wat afwezig.'

Ze lacht even en zegt dan met een klein stemmetje: 'En daarom was ik de afgelopen dagen ook soms een beetje... raar aan het doen.'

'Soms?' lach ik.

Het liefst zou ik haar zacht op de grond willen duwen en een uur lang met haar willen zoenen. Wat is ze toch ongelofelijk eerlijk en heerlijk en lief. Ik zou een foto van haar willen maken, van precies hoe ze nu is. Zongebruind, met losse haren, een glimlach en witte tanden.

'Ik moet wat dingen uitzoeken,' zegt ze dan. 'Voor mezelf.'

Ik wil haar optillen en haar zeggen dat ze mijn meisje is, dat ze geen dingen hoeft uit te zoeken, al weet ik niet eens wát ze wil uitzoeken. Ik wil haar zeggen dat ze mooi, zo ontzettend mooi is. Dat ze van mijn part duizend dingen mag uitzoeken, als ze daarna weer de gewone Maud wordt die ik ken en waar ik verliefd op werd.

Maar ik zeg niets. Ik durf het niet. Nu nog niet. Ik zeg: 'Prima, M. Wat jij wil.'

Thuis bots ik tegen Nadia op, die net de achterdeur uit wil lopen.

'Hé,' zegt ze enthousiast, terwijl ze haar oordopjes uitdoet. 'Ik wilde net gaan hardlopen.'

Om te bewijzen dat ze het echt meent, maakt ze een paar passen op de plaats.

'En? Hoe ging je strandwandeling?'

Ik heb de neiging 'prima' te zeggen en door te lopen naar mijn kamer, maar ik blijf staan. 'Mwah. Ging wel.'

'Ging wel?' vraagt Nadia. 'Hoezo "ging wel"? Heb je haar in het water geduwd?'

'Nee?'

'Voorgesteld om te gaan skinnydippen?'

'Nee.'

'Zand in haar gezicht gegooid?'

Ik schud mijn hoofd.

'Waarom was het dan niet een supergeslaagde actie?'

'Ik weet niet,' begin ik vaag. Ik kan het net zo goed tegen Nadia zeggen. Misschien dat zij wel snapt wat Maud ermee bedoelde. Met dat ze wat dingen voor zichzelf moet uitzoeken. In eerste instantie maakte het me niet zo veel uit dat Maud met iets zit dat ze me niet wil vertellen, maar op weg naar huis begon het steeds meer te knagen. 'Wat bedoelt een meisje als ze zegt dat ze "dingen voor zichzelf moet uitzoeken"?' vraag ik.

Nadia's gezicht betrekt. 'Zei ze dat? Zei Maud dat?'

'Ja, zoiets.'

Nadia schudt haar hoofd. 'Aan "zoiets" heb ik niets. Wat zei ze precies?'

Ik doe mijn best het gesprek woordelijk te herinneren, maar helemaal precies weet ik het niet meer. 'Dat ze iets nu nog niet kon vertellen, maar dat later wel wilde doen, als ze de dingen voor zichzelf had uitgezocht. Zoiets.'

Op het moment dat ik het hardop zeg, moet ik bijna lachen. Vager kan ook haast niet.

'Dingen uitzoeken...' herhaalt Nadia en ze schudt haar hoofd. 'Moet ik eerlijk zijn?'

'Niet als het pijn gaat doen.'

Nadia zwijgt even en kijkt me dan aan. 'De laatste keer dat ik tegen een jongen zei dat ik dingen voor mezelf moest uitzoeken, bedoelde ik eigenlijk dat ik hem wilde dumpen. Voor een andere jongen.'

'Wat?' Ik voel hoe er in mijn maag een steen ketst boven op de steen die er al lag. 'Hoe bedoel je?'

Nadia haalt haar schouders op. 'Ik zeg alleen wat ik er mee bedoelde toen ik dat tegen mijn laatste vriendje zei.'

'Dat hoeft toch niet meteen?' val ik uit. 'Ze kan toch ook andere dingen moeten uitzoeken voor zichzelf?'

'Wat dan?' snuift Nadia. 'Dingen met haar vriendinnen? Met haar ouders? Wat ze later wil studeren? Waarom zou ze je dat dan niet gewoon zeggen?'

'Weet ik veel,' zeg ik. 'Omdat ze het nog even voor zichzelf wil houden, misschien?'

Nadia haalt nogmaals haar schouders op. 'Misschien. Ik hoop dat je gelijk hebt.'

'Ach, jij,' zeg ik opeens fel. 'Jij ook altijd met je meidengelul. Maud kan wel heel wat anders bedoelen.'

Zonder af te wachten wat Nadia nog te zeggen heeft, draai ik me om en loop naar mijn kamer. 'Wat weet zij er nu van,' scheld ik in mezelf op mijn zus.

Maar gek genoeg ben ik opeens niet meer zo heel zeker van mijn zaak.

MAUD

'Jaloers maken! Hallo-o! Tip numero één in het handboek der liefde.'

Koen kijkt me aan. 'Soms lijkt het wel alsof je uit een ei bent gekropen en de eierschaal nog op je hoofd zit.' Hij wrijft me over mijn hoofd. 'Kuiken. Hoe wil je er anders ooit achter komen dat hij gek op je is?'

'Eh,' zeg ik overdreven. 'Door te geloven dat hij gek op me is als hij zegt dat hij gek op me is?'

Koen kijkt me even vreemd aan. 'En geloof je dat? Juist. En trouwens: van een beetje jaloezie is nog nooit iemand doodgegaan.'

'Ik weet het niet, hoor. Is het niet een beetje... kinderachtig?'

Ik heb besloten het radicaal anders te doen. Vanaf nu wis ik elk stom sms'je dat ik binnenkrijg zonder het te lezen en ga ik me daar niet langer druk over maken. Ik ga af op wat Raoul doet, op hoe gek hij op me is, en baseer daar mijn keuzes op. Ik heb nog maar één teken nodig, heb ik mezelf beloofd. Eén ding waaraan ik echt kan merken dat Raoul gek op me is. Als ik die krijg, mag hij nog wel een half jaar wachten voordat hij verkering aan me vraagt. En volgens Koen is er maar één manier om uit te vinden of iemand echt gek op je is. Jaloezie.

'Wat nou kinderachtig?' zegt hij. 'Je wilt toch weten of hij echt verliefd op je is? Dat die sms'jes van Julia-of-wie-dan-ook complete onzin zijn? Dus zul je hem jaloers moeten maken.'

Ik zeg niets.

'Mensen die niet jaloers zijn, zijn niet geïnteresseerd genoeg in je,' zegt Koen. 'Er bestaat niet zoiets als een relaxte houding in de liefde. Wanneer je echt om iemand geeft, ben je ook jaloers.'

Onwillekeurig begin ik te lachen. 'Mrauw!' Met mijn hand haal ik naar Koen uit. 'Voel ik hier een gevoelig onderwerp?'

Koen lacht. 'Eigenlijk zou het nog twee dagen duren voordat Chris terugkomt,' begint hij terwijl hij zijn kin in de lucht steekt. 'Maar nu heeft meneer opeens besloten een dag langer te blijven, zodat 'ie bij zo'n jongen kan blijven die hij daar heeft ontmoet.'

Ik frons mijn wenkbrauwen. 'Wat?'

'Precies! Maar volgens Chris moet ik niet zo belachelijk jaloers doen. "Wees blij dat ik jaloers ben," heb ik hem toen gezegd. "Als ik niet jaloers was geweest, had het me zelfs geen zak geïnteresseerd als je met Paolo naakt zat te scrabbelen."'

'Goed zo,' zeg ik en ik neem een slok van mijn cola. 'En nu?'

'En nu doet hij maar lekker. Als 'ie straks thuiskomt, krijgt hij het drie keer zo hard terug van mij. Dan zal hij eens voelen hoe het is om op de tweede plek te staan.'

'Met mij bedoel ik,' zucht ik. 'Wat moet ik nu doen?'

'Wat ik je al tien keer heb gezegd. Pap het liefst aan met een jongen die breder of langer is of duurdere kleren heeft. Op de een of andere manier worden jongens daar nog jaloerser van.'

Ik kijk Koen niet-begrijpend aan. 'Want?'

'Of een andere jongen knap is, dat zien de meeste hetero-jongens niet. Zeggen ze. Maar ze zien in een oogopslag of iemand breder of langer is, of mooiere kleren draagt. En daarvan weten ze dat meiden daarop vallen. Dus dat is in zijn ogen altijd competitie.'

Soms ben ik zo blij dat ik Koen heb. 'Jij zou hier iets mee moeten doen,' zeg ik.

Koen wrijft nog eens over mijn hoofd en zegt dan: '*Those who can't, teach.*'

'Wat?'

'Diegenen die er zelf niets van kunnen, leren het anderen. Daarom zijn er ook zoiets als leraren. Laat maar, waar jij je druk over moet maken is met wíe je Raoul jaloers gaat maken.'

Ik haal mijn schouders op. Ik heb geen idee met wie ik Raoul jaloers moet maken. 'Jasper?' zeg ik matjes.

'Die lelijke ex-vriend van Lynn?' hoont Koen. 'Daar wordt toch niemand jaloers van. Zelfs Lynn zou je geld toestoppen als je een move naar hem maakt.'

Ik voel een steekje schuld als ik de naam Lynn hoor. Ik mis haar, maar stom genoeg heb ik nog steeds niets van me laten horen. Straks, neem ik me voor, straks als ik thuis ben is het eerste wat ik doe Lynn sms'en om wat af te spreken.

'Die andere jongen waar Raoul mee omgaat,' zegt Koen. 'Die Tijn of zo. Dat is wel een knappe jongen.'

'Hij gaat met Saskia,' zeg ik.

'Nog beter,' zegt Koen. 'Maak je meteen dat mens pissig. Vreselijk, wat vind ik dat een griezel zeg. En die vriendin van haar, die Wendy. Yug. Maar ik zeg: Tijn. Hij ziet er leuk uit, is gespierder dan Raoul en heeft een vriendin. Ik zie alleen maar voordelen.'

'Hé!' val ik uit. 'Tijn is echt niet gespierder dan Raoul. In ieder geval niet veel.'

'Daar gaat het nu toch niet om?'

'Maakt me niet uit. Ik ga Raoul echt niet jaloers maken met Tijn. Tijn ziet me al aankomen. Hij is een vriend van Raoul. Straks gaat 'ie nog naar Raoul om te zeggen dat ik hem wil versieren.'

'Nogmaals: je snapt er weer eens helemaal niets van. Dat is toch juist de bedoeling.'

'Kan ik niet iets verzinnen of zo. Iets bedenken over een jongen die achter me aan zit?'

'Hm,' zegt Koen en hij begint op zijn vingers te tellen. 'Punt één, dat is heel triest en punt twee, dat is heel triest.'

'Hoezo?'

'Ach kom op, Maud. Je kunt toch wel een beetje lachend knipogen naar een andere jongen terwijl je een hairflip maakt, om Raoul jaloers te maken? Daar hoef je toch niet een compleet iemand voor te verzinnen?'

Koen meent het echt. Ik zie aan zijn ogen dat ik gewoon niet zo moeilijk moet doen. Een beetje gezonde jaloezie opwekken. Wat is daar nu zo gevaarlijk aan?

'Oké, oké, oké,' hoor ik mezelf dan opeens zeggen. 'Ik ga wel een beetje met Tijn flirten. Maar als ik die Saskia op mijn dak krijg, geef ik alle schuld aan jou.'

Koen heft zijn colaglas naar me op en klakt met zijn tong. 'Deal.'

RAOUL

Ik zit al sinds gisteren met dat ene zinnetje in mijn maag.

'Ik moet iets voor mezelf uitzoeken.'

Ik durf Nadia niet nog eens te vragen of een meisje daar echt niets anders mee kan bedoelen. Ik weet zeker dat ze weer hetzelfde zegt. 'De laatste keer dat ik tegen een jongen zei dat ik dingen voor mezelf moest uitzoeken, bedoelde ik eigenlijk dat ik hem wilde dumpen. Voor een andere jongen.'

Ik krijg er pijn van in mijn maag als ik eraan denk. Laat Maud me dan meteen dumpen. Waarom houdt ze me dan nog aan het lijntje? Ik wil geen tweede keus zijn. En als ze zo lang de tijd nodig heeft om na te denken, hoef ik ook geen eerste keus te zijn.

Gefrustreerd start ik mijn laptop op.

Niet alleen zeurt het in mijn maag sinds gisteren, ook in mijn hoofd zeurt het. Daar zeurt een stemmetje al sinds ik vanochtend wakker werd, dat ik niet zo moeilijk moet doen en gewoon eens actie moet ondernemen. 'Voer mij maar uit,' zegt het. 'Je weet dat ik je kan helpen.'

Ik bijt hard op mijn lip. Dit kan ik echt niet maken.

Ik zucht diep. Aan de andere kant: als Maud dingen mag uitzoeken, waarom mag ik het dan niet?

Verzinnen als wie ik me ga voordoen, is misschien nog het makkelijkst. Ik ken maar één vriendin van haar. Volgens mij is

Maud ook helemaal niet van de hysterisch giechelende meiden-groepjes.

Op de startpagina van Hotmail maak ik binnen een minuut een nieuw e-mailadres aan. Ik weet niets beters te verzinnen dan Lynn_Lynn.

Het is net alsof ik van bovenaf naar iemand zit te kijken, als ik met mijn nieuwe account Maud toevoeg.

Ik check mijn eigen e-mail, al mijn zes internetprofielen op berichtjes, speel een online potje voetbal, lees de koppen van het sportnieuws en download wat muziek. Ik wil net de hele actie voor gezien houden, als het vakje met een bliepje rechtsonder in het scherm opduikt. M@UD heeft zich aangemeld.

Ze heeft me gewoon toegevoegd, denk ik.

Even weet ik niet wat ik moet doen. Haar aanspreken? Of wachten tot ze mij eerst een berichtje heeft gestuurd?

Dan verschijnt er in beeld:

[M@UD zegt:] 'Hey! Nieuw e-mailadres?'

Ik voel een kriebel in mijn maag opborrelen. Ik kan nu nog terug. Als ik nu iets terugtyp, doe ik me voor als Lynn en mocht Maud daar ooit achter komen, dan...

[Lynn_Lynn@msn.com zegt:] 'Ja.'

Ik heb het gedaan. De adrenaline giert opeens door mijn lijf. Ik had verwacht dat ik me heel schuldig zou voelen, maar het voelt als een kick. Kom maar op, denk ik opeens. Ik ga wel eens uitzoeken wat jij zo nodig moest uitzoeken.

[M@UD zegt:] 'O.'

[Lynn_Lynn@msn.com zegt:] 'Oude deed vaag, vndr.'

Ik wil het liefst meteen vragen hoe het tussen haar en mij zit. Maar vragen vriendinnen dat soort dingen gelijk aan elkaar? Of hebben ze het eerst een half uur over meidendingen?

[M@UD zegt:] 'Ow ja :-) heb je nog wat leuks gedaan?'

Moet ik antwoorden dat ik gewinkeld heb of zo? Ze kan het toch niet controleren. Maar wat als ze vraagt wat ik gekocht heb?

[Lynn_Lynn@msn.com zegt:] 'Neuh nix. Jij?'

[M@UD zegt:] 'Ook nix bijzonders.'

Niks bijzonders? 'Wat?' roep ik tegen het beeldscherm. Hoezo niets bijzonders? Ze heeft met mij een strandwandeling gemaakt! Hoezo is dat niets bijzonders?

Ik heb zin om te typen dat ze met mij zit te msn'en in plaats van met Lynn, maar ik houd me in. Ik kon nog wel eens veel meer te weten komen.

[Lynn_Lynn@msn.com zegt:] 'Niets gedaan met raoel?'

Ik schrijf expres mijn naam verkeerd.

[M@UD zegt:] 'Eventjes. Zal ik anders naar jou toe komen vanavond?'

Shit! Ze moet vanavond echt niet naar Lynn! Dan weet ze meteen dat ze met een fake-Lynn heeft zitten msn'en.

[Lynn_Lynn@msn.com zegt:] 'Kan niet vnvnd.'

[M@UD zegt:] 'Ow.'

Onder in het scherm staat dat M@UD een bericht aan het typen is. Het duurt even, maar het scherm blijft blanco. Waarschijnlijk heeft ze het bericht weer weggehaald.

[Lynn_Lynn@msn.com zegt:] '?'

[M@UD zegt:] 'Ben je nog steeds boos om laatst?'

Laatst? Wat was er laatst? Is Lynn boos op Maud? Hebben ze ruzie? Wil Maud daarom Lynn niet meenemen vanavond naar mijn feestje? Waarom vertelt ze me dat soort dingen niet?

[Lynn_Lynn@msn.com zegt:] 'Hoezo?'

[M@UD zegt:] 'Was ook lullig, zal niet meer gebeuren oké?'

[M@UD zegt:] 'Raoul moet zichzelf maar vermaken.'

[M@UD zegt:] ':-p'

[Lynn_Lynn@msn.com zegt:] 'O.'

[M@UD zegt:] 'Je had gelijk. Moet ook gewoon met andere mensen omgaan.'

[M@UD zegt:] ':-p'

Ik krijg een vreemde kriebel in mijn maag. Moet ook gewoon met andere mensen omgaan? Ik tik een kort 'ja' terug. Wat kan ik hier anders op antwoorden? Moet ook gewoon met andere mensen omgaan... Met andere jongens bedoelt ze zeker. En dan die stomme smiley met die uitgestoken tong erachter. Ze lijkt het nog grappig te vinden ook! Voor ik het zelf doorheb, tik ik terug:

[Lynn_Lynn@msn.com zegt:] 'Haha, andere jongens ckur!'

Weer tikt Maud een bericht en haalt het daarna weg.

[Lynn_Lynn@msn.com zegt:] '??? Zeg nou...'

[M@UD zegt:] 'Ik moet je iets vertellen, maar je mag het echt niet doorvertellen...'

MAUD

Shit! Wat doe ik nou!

Ik probeer zo snel als ik kan met mijn hand de colastroom die van mijn bureau loopt tegen te houden, maar het heeft al weinig zin meer.

Ruw veeg ik de druppels cola van mijn broek af en loop naar de badkamer. Ik hoor mijn moeder het al in mijn hoofd zeggen: 'Zie je nu wel dat dat een keer mis zou gaan? Hoe vaak moet ik je nog zeggen dat je geen cola bij je laptop moet drinken? Als 'ie kapotgaat, spaar je zelf maar voor een nieuwe, hoor!' Shit, shit, shit.

Terug in mijn kamer wrijf ik met een rol toiletpapier de cola van mijn bureau. Met een vinger typ ik snel 'brb', maar ik krijg meteen een berichtje terug:

[Lynn_Lynn@msn.com is offline]

Wat gek.

Met mijn ene hand blijf ik de natte plek droogdeppen en met de andere scroll ik met de muis door het gesprek. Misschien ligt haar internet eraf en is ze daarom offline. Lynn zou nooit zomaar een msn-gesprek afbreken en al helemaal niet wanneer ik op het punt sta wat te vertellen.

Ik plof op mijn bureaustoel en scroll het schermpje van het msn-gesprek helemaal naar boven. Als ik de eerste paar zinnen terug heb gelezen, weet ik dat ik me het echt niet verbeeld heb dat Lynn raar deed. Normaal heeft ze hele verhalen op msn en moet ik soms wel vier zinnen wachten voordat ik wat kan zeggen. Nu tikte ze alleen heel korte antwoorden.

Is het omdat ze nog steeds boos op me is? Maar dat kan ze dan toch zeggen? Juist op msn. Dat maakt het veel gemakkelijker als we elkaar de volgende keer weer zien.

Met mijn vinger vlak voor het scherm ga ik de zinnen af. Er klopt echt iets niet. Lynn zou nooit met 'hoezo' antwoorden op mijn vraag of ze nog boos was. En ze zou ook nooit 'Raoel' met een 'e' schrijven. Of me uithoren of ik nog wat gedaan had met hem – helemaal niet als onze ruzie juist daarover ging.

Lynn_Lynn@msn.com.

Hoe toevallig is het ook eigenlijk dat ze een nieuw e-mailadres had?

Ik voel hoe er een misselijke golf door mijn maag trekt, en schuif de laptop in een impuls achteruit.

Hoe dom ben ik dan ook? Natuurlijk is dit Lynn niet. Dit is Julia of wie het dan ook is die mij de sms'jes stuurt.

In een vlaag van paniek zet ik mijn printer aan en print het gesprek meteen drie keer uit. Ik heb het gevoel alsof ik bewijs moet verzamelen. Is er geen wet die mensen verbiedt andere mensen lastig te vallen via msn of sms? Is er tegenwoordig niet al iets tegen online pesten?

'Mag ik binnenkomen?'

Van schrik veer ik een eindje op uit mijn bureaustoel. 'Wacht even,' roep ik, waarna ik snel mijn laptop dichtklap. 'Ja, kom maar binnen.'

Het duurt een paar tellen voordat mijn moeder de deur van mijn kamer opendoet.

'Ik wil je niet storen,' zegt ze, terwijl ze haar best doet een glimlach te onderdrukken. 'Maar eh...' Haar stem zakt een paar octaven als ze zich naar voren buigt: 'Wist jij al dat Job een vriendin-netje heeft?'

Wat?

Het duurt een paar tellen voordat ik in mijn hoofd omgescha-keld ben. Julia, ze heeft het over Julia, bedenk ik me dan. Dezelf-de Julia met wie ik nét heb zitten msn'en.

Mijn moeder leunt met haar armen over elkaar tegen de deur-post en kijkt me aan alsof ze net heeft verteld dat ze een hoofd-prijs heeft gewonnen. Terwijl ze er met Julia nog geen stuiver op vooruit gaat.

'Ik, nee, ja...' begin ik.

'Gaaf hè?'

Gaaf?

'Ma-ham,' zucht ik. Ik haat het als mijn moeder 'gaaf' zegt. En al helemaal omdat het over Julia gaat.

'Ze was hier vanmorgen even,' zegt ze, me negerend. 'Aardig meisje. Mooi meisje, ook. Met van dat blonde haar in zo'n lange staart. Ik weet zeker dat jou dat ook heel mooi zou staan.'

'Blond? Of zo'n mooie, lange staart?'

'Doe toch eens niet altijd meteen zo chagrijnig, jij,' zegt mijn moeder. 'Het is toch hartstikke leuk dat Job nu ook een vrien-dinnetje heeft?'

Ze kijkt me even met opgetrokken wenkbrauwen aan. Ik weet wat die wenkbrauwen zeggen. Ze zeggen: 'En haar hebben we al wel gezien en die van jou nog steeds niet. Nou, Maud. Wanneer neem je Raoul nu eens mee naar huis?'

'Ach, laat ook maar,' mompel ik zo onverstaanbaar mogelijk. Ik heb hier ook helemaal geen zin in ook.

'Wat doe je nou moeilijk,' gaat mijn moeder door. 'Is er iets? Heb je ruzie met Lynn? Of met Raoul?'

Ik schud mijn hoofd terwijl ik het opeens heel druk heb met het rechtleggen van mijn printerpapier in de lade.

'Gaat het om Julia? Ken je haar? Doe je daarom opeens zo raar?'

'Dat rijmt,' zeg ik en ik hoor zelf hoe mat ik klink. In mijn maag wordt de knoop per seconde groter. Kan Julia niet weggaan en nooit meer terugkomen? Waarom wil ze per se alles van me inpikken? Eerst Raoul, daarna Job en nu ook nog mijn moeder? Ik haat dat mens!

Zonder dat ik het doorheb, is mijn moeder op de rand van het bed gaan zitten. 'Nou, vertel op,' zegt ze en ze kijkt me zo lief aan dat de knoop in mijn maag meteen een stuk losser gaat zitten.

Ik haal een keer diep adem.

'Weet je nog dat ik een paar weken geleden zo... ja, zo verdrietig was?'

Verdrietig is een slecht woord. Ik was er kapot van toen ik van Lynn hoorde dat ze Julia en Raoul had zien zoenen. Ik heb dagenlang in bed gelegen en mijn ogen uit mijn kop gejankt.

'Hmm.' Mijn moeder knikt.

'Dat ging toen over Raoul...'

'Zo'n vermoeden had ik al, ja,' lacht mijn moeder en ze geeft me een knipoog. 'Ik ben niet helemaal gek.'

Ik haal diep adem en zeg dan in één ruk: 'Dat ging over Raoul en Julia. Julia had geprobeerd hem te zoenen, terwijl ze wist dat hij al een soort van met mij ging.'

Ik zie hoe mijn moeder een paar keer kort achter elkaar met haar ogen knippert en daarom zeg ik er snel achteraan: 'Raoul heeft haar meteen weggeduwd. Hij is niet vreemdgegaan, als je dat soms denkt.'

'Nee, ik...' Mijn moeder schudt haar hoofd. 'Ik denk helemaal niets. Maar eh... Julia. Waarom? Ik snap het even niet meer.'

'Ze is de ex van Raoul,' zeg ik. Op het moment dat ik het zeg, voelt het opeens heel vreemd. De ex van Raoul. Alsof ik al maanden met Raoul ga, nadat hij maanden met Julia is gegaan. Ex. Het klinkt zo... volwassen.

'En nu heeft ze met Job?' onderbreekt mijn moeder mijn gedachten. 'Hoe lang is dat geleden dat ze... nou ja, dat hele gebeuren.'

Ik haal mijn schouders op. 'Drie weken? Een maand? Eerder een maand, denk ik.'

'En Job weet dat?'

'Weet ik niet,' zeg ik. 'Volgens Raoul zei Julia toen tegen hem dat ze verliefd op hem was...'

Ik maak expres mijn zin niet helemaal af. Laat mijn moeder maar concluderen wat ik al de hele tijd vreemd vind.

'En nu is ze verliefd op Job?' Mijn moeder heeft haar wenkbrauwen zo gefronst, dat er een diepe groef in haar voorhoofd komt. 'O.'

'Tja...' zeg ik zo luchtig mogelijk, terwijl binnen in mijn maag de knoop ineens is verdwenen. Dank je, mam. Dank je dat je weer in Team Maud zit, in plaats van in Team Julia-met-dat-mooie-blonde-haar.

'Nou ja,' zegt mijn moeder twee keer achter elkaar, met grote tussenpozen. 'Ach, misschien is ze op Job wel echt verliefd, wie zal het zeggen?'

Ik kijk naar haar als ze van mijn bedrand opstaat. Wat kan ze ook eigenlijk zeggen? Heeft Job eindelijk eens een vriendinnetje, blijkt het een ongelofelijke trut te zijn.

'Trouwens,' bedenk ik me dan opeens. 'Wat kwam Julia hier eigenlijk doen?'

'O, eh... Iets over een feestje vanavond of zo? Ze moest daarvoor iets lenen van Job.'

De knoop in mijn maag is op slag weer terug. Dus Julia is er vanavond ook.

'Had jij niet ook een feestje?'

Ik knik. 'Ik denk dat we hetzelfde feestje hebben...'

Mijn moeder is nog geen tien seconden mijn kamer uit, of ik krijg een sms'je:

C juh vnvnd. Bitch.

RAOUL

'Volgens mij gaat ze ook met andere jongens om.'

Jasper kijkt me even vreemd aan. Ik heb net een half uur van hem moeten aanhoren dat zijn telefoon vorige week is gejat, maar nu moet ik mijn verhaal kwijt.

Het feestje is in volle gang en ik heb Maud nog niet echt gesproken. Als ik eerlijk ben, probeer ik haar een beetje te ontlopen. Het is laf, ik weet het. Maar nu moet ík eerst dingen voor mezelf op een rijtje zetten.

'Vraag me niet hoe ik het weet, maar ik weet het,' zeg ik voordat ik een flinke slok bier neem.

'Oké,' zegt Jasper. Hij rekt de 'e' zo lang uit dat het als een 'j' begint te klinken. Hij gelooft niets van mijn verhaal. Of misschien gelooft hij me wel, maar gelooft hij niet dat Maud zoiets zou doen.

'Ze krijgt de hele tijd sms'jes,' zeg ik. 'Sms'jes waar ze heel raar over doet als ze die krijgt.' Ik zwijg even. 'En er is nog iets, maar dat kan ik echt niet zeggen.'

Jasper knikt. 'Oké,' begint hij dan het verhaal samen te vatten. 'Dus je weet – laten we zeggen, uit betrouwbare bron – dat Maud met andere jongens omgaat. Is het trouwens jongens of jongen?'

Ik kijk Jasper aan. 'Doet het ertoe?'

Het lijkt erop of Jasper wat wil zeggen, maar dan schudt hij zijn hoofd. 'Laat maar.'

'Nee, zeg maar?'

'Ik vind het helemaal niets voor Maud om met andere jongens om te gaan. Naast jou, bedoel ik.'

Ik haal mijn schouders op. 'Toch is het zo.'

'En nu?' vraagt Jasper.

'Ik weet het niet. Daarvoor vertel ik het aan jou.'

'Aha,' lacht Jasper. 'Voor wijze raad weet 'ie ome Jasper wel weer te vinden.'

'Sorry,' zeg ik terwijl ik met een grijns mijn hoofd schud, 'zei je nou wijvenraad? Ik had niet verwacht dat jij zo over meisjes zou praten...'

'Het is wel goed met jou.' Jasper geeft me een duw. 'Zoek het maar lekker zelf uit.'

'Oké, oké, oké.' Ik houd mijn handen omhoog. 'Ik neem het terug. Wat moet ik doen met Maud?'

'Eerlijk?'

'Eerlijk.'

'Niets. Helemaal niets. Je maakt jezelf alleen maar belachelijk, als je dat nu al niet doet.'

'Ik doe toch helemaal niets!'

'Je moet jezelf eens horen, man.' Op een zeikerig toontje doet hij me na: '"Ze krijgt de hele tijd sms'jes..." "Ik kan je niet zeggen hoe ik het weet..." Wat is er met jou aan de hand, jongen? Straks ga je me nog vertellen dat je haar Hyves als startpagina hebt, omdat je haar krabbels om de tien minuten wilt checken.'

Ik weet van verbazing even niets te zeggen. Ben ik al zo ver heen dat zelfs Jasper vindt dat ik belachelijk doe?

'Je hebt echt haar Hyves als startpagina, of niet?' concludeert Jasper. 'Daardoor denk je ook dat ze met andere jongens omgaat? Laat me raden: één krabbel van haar ex en Raoultje kan de hele nacht niet slapen. Is dat het?'

Ik neem een paar flinke slokken achter elkaar zodat ik even niets hoef te zeggen. Zo triest ben ik gelukkig ook weer niet.

'Het geeft niets,' zegt Jasper, terwijl hij me een vriendschappelijke klap op mijn schouder geeft. 'Ik heb laatst gelezen dat jongens vaak zwaarder verliefd zijn dan meiden, als ze het zijn.'

Ik slik een lach in. Ik voel mezelf opeens een stuk minder debiel, nu Jasper weer met een of ander feitje komt aanzetten.

'O ja,' zeg ik. 'In welk wetenschappelijk boek heb je dat nu weer opgepikt? Of las je het "toevallig" in een of ander meidenblad?'

Jasper lacht. 'Doe het maar af als onzin, maar er zit wel een kern van waarheid in. Stalkers zijn over het algemeen mannen. En de meeste *crimes passionnels* worden nog altijd gepleegd door mannen.'

'Crimes passionnels?'

'Ja,' zegt Jasper met een stalen gezicht. 'Dat is dat je moordt uit liefde. Als je het niet kunt hebben dat je liefje jou voor iemand anders heeft ingeruild.'

'O,' zeg ik. 'Dus jij denkt dat ik Maud wil vermoorden?'

'Zeg ik niet. Ik zeg alleen dat jongens nog wel eens behoorlijk raar kunnen doen als ze echt verliefd zijn.'

'Sukkels,' mompel ik.

'*Join the club*, man,' lacht Jasper. 'Been there, done that, got the broken heart as a souvenir.'

Ik schud mijn hoofd. 'Wat is dat toch, dat meiden je echt helemaal gek kunnen maken?'

'Ik weet het. Weet je nog toen ik helemaal weg was van Sara in de eerste? Dat ik toen vijf ballonnen op Valentijnsdag had laten bezorgen in de klas? Wat dacht ik in vredesnaam?'

Ik knik. Ik weet het nog precies.

'Aan de andere kant: ik zou het zo weer doen. Meiden vinden

dat prachtig, joh. Door die actie kreeg ik opeens een stuk meer aandacht van andere meiden.'

'Hetzelfde geldt voor die debiele ruzie toen van Tijn,' zeg ik. 'Voordat hij met Saskia ging. Dat 'ie toen helemaal flipte omdat er iemand aan zijn vriendin zat. Mooi wel dat ieder meisje Tijn opeens een stuk interessanter vond.'

'Ach ja. Ze zeggen allemaal het hardst van niet, maar alle meiden vinden het stiekem wel stoer als een jongen voor ze vecht. *Speaking of* Tijn, heb je hem al gezien? En Benjamin, komt die ook nog?'

Ik wil net zeggen dat ik ze allebei nog niet gezien heb, als ik iemand keihard hoor lachen. Als ik me omdraai, zie ik dat het Maud is. Maud die tegen Tijn staat aangeleund.

MAUD

Volgens mij is dit de meest neppe lach ooit. Zo keihard lach ik anders nooit en al helemaal niet om zo'n stomme grap. Maar hoe zorg ik er anders voor dat Raoul naar me kijkt?

Ik buig me voorover om mijn glas cola op tafel te zetten en leun daarbij een beetje extra tegen Tijn aan. Ik heb geen idee of dit onder flirten valt, maar voor een buitenstaander moet het er vast uitzien alsof we het gezellig hebben.

'Jij lacht ook overdreven, zeg.'

Ik stoot haast mijn glas om van schrik. Wendy kijkt me met opgetrokken wenkbrauwen aan. Waar komt die nu opeens vandaan? Shit! Hier was ik dus al bang voor.

'Hoezo?' verdedigt Tijn mij. 'Ze lacht helemaal niet overdreven. Ik ben gewoon heel grappig.'

'Ach, natuurlijk,' bitst Wendy en zwijgt dan. Ze kijkt me aan alsof ze me voor het eerst ziet. 'Maud is het toch, of niet?' Ze houdt haar hoofd schuin. 'Job is toch jouw broer?'

Zie je wel? Tien tegen één dat ik nu te horen krijg dat wij totaal niet op elkaar lijken. Alsof mensen denken dat wij dat zelf niet weten.

'Job is echt een hufter, wist je dat?'

Ik schrik van de walging in haar stem. Dit had ik niet verwacht. Niet dat ik weet wat ik dan wel had verwacht van Wendy, maar dit niet.

'Hé!' zegt Tijn.

'Wat?' vraagt Wendy onschuldig. 'Ik mag toch wel zeggen dat ik haar broer een hufter vind?'

'Alsjeblieft,' zegt Tijn. 'In dat soort gedoe heb ik helemaal geen zin, hoor. Dat doe je maar lekker een andere keer.'

'Ik zeg gewoon wat ik ervan vind,' zegt Wendy en ze neemt een grote slok van haar drankje. 'Als jij wist wat Job gedaan had, dan zou jij hem ook een hufter vinden.'

Tijn haalt zijn schouders op. 'Hij kan het toch ook niet helpen dat jij meer van hem verwacht?'

'Wat?'

Tijn kijkt naar mij, alsof ik hem kan helpen. Maar ik heb geen idee waar dit over gaat.

'Je weet heel goed wat ik bedoel, Wendy. Je wist precies waar je aan begon, toen...'

'Waar gaat dit over?' hoor ik mezelf zeggen.

'Niks,' zegt Wendy. 'Je broer is een rotzak, daar gaat het over.'

Tijn schudt zijn hoofd en neemt een paar slokken van zijn bier. Dan knikt hij naar Wendy en zegt: 'Job en Wendy, ze eh... Ze hebben het met elkaar gedaan.'

Het duurt even voordat ik besef wat Tijn net heeft gezegd. Job? Mijn broer Job en Wendy?

Naast me krijgt Wendy een minihartaanval. 'Dat zeg je toch niet tegen háár!' Ze kijkt Tijn aan alsof ze hem elk moment kan slaan.

'Ach, ze komt er toch wel achter,' zegt Tijn rustig. 'Is het niet door iemand anders, dan doe je het zelf wel met dat hysterische gedoe van je.'

Ik hoor hoe gesprekken om me heen abrupt worden afgebroken.

'Wat is hier aan de hand?' hoor ik opeens een stem achter me.

Ook dat nog, denk ik bij mezelf. Saskia is een vriendin van Wendy én de vriendin van Tijn. Geheid dat ze het voor Wendy opneemt en tegen mij zegt dat ik me nergens mee moet bemoeien.

Ze kijkt van Wendy naar Tijn naar mij. 'Nou?'

Tijn wijst met zijn bierflesje naar mij. 'Wendy begon over Job tegen Maud. Dus toen heb ik even verteld hoe het zat.'

'Wat?' valt Saskia uit. 'Dat zeg je toch niet waar zijn zusje bij is?'

Resoluut grijpt ze Wendy bij haar arm en trekt haar mee. 'Kom, Wen. We gaan buiten even wat drinken.' En tegen Tijn: 'Ik spreek jou straks nog.'

Wanneer ze beiden weg zijn, weet ik eigenlijk niet zo goed wat ik nu nog tegen Tijn moet zeggen.

'Je had het nog niet gehoord, dus,' zegt Tijn overbodig.

Ik zucht even, waarna ik mijn cola weer pak. 'Ik hoor de laatste tijd wel meer dingen niet over Job,' merk ik sarcastisch op. 'Dat 'ie opeens verkering heeft met Julia, daar wist ik ook niets van.'

'Tja,' zegt Tijn, terwijl hij wat opschuift op de tafel om ruimte voor mij te maken. 'Daarom is Wendy ook zo pissig. Ze voelt zich gebruikt.'

Ik ga naast Tijn zitten en bungel met mijn benen wat heen en weer. Opeens snap ik niet waarom ik zo nodig met Tijn wilde flirten. De dingen zijn al moeilijk genoeg, zonder dat ik het mezelf nog eens extra moeilijk maak.

'Heb jij wel eens het gevoel dat je iets beter niet had kunnen weten?'

Tijn kijkt me aan en begint dan te lachen. 'Sorry,' zegt hij dan. 'Ik... Ik hoef ook niet te weten met wie mijn broer het allemaal doet. Ik had er zo snel niet aan gedacht.'

'Het geeft niet,' zeg ik. 'Ik...'

'Hé, alles goed hier?'

Ik kijk op in het gezicht van Raoul.

'Wat was hier nu net aan de hand?' vraagt hij, terwijl hij zijn hand op mijn schouder legt. 'Hadden die meiden het tegen jou?'

Mijn buik trekt even samen. Ik hou ervan als Raoul serieus kijkt. Hij lijkt dan minstens drie jaar ouder.

'Hé,' zeg ik alleen maar.

'Job is met Wendy naar bed geweest en nu is Wendy boos omdat Job met Julia verkering heeft.' Bij elke naam die Tijn zegt beweegt hij zijn hoofd overdreven naar voren. 'Het is net een soap.'

Raoul kijkt naar mij. 'Wist jij dat?'

'Wat? Van Job en Wendy?' Ik schud mijn hoofd. 'Mij wordt helemaal niets meer verteld tegenwoordig.'

Raoul fronst zijn voorhoofd. 'Waarom wordt dat stomme mens dan boos op jou?'

Ik haal mijn schouders op. 'Om zich af te reageren? Weet ik veel.'

'Zijn Job en Julia er eigenlijk al?' vraagt Tijn. 'Ik hoorde Job wel zeggen dat ze vanavond kwamen.'

'Julia?' lacht Raoul spottend. 'Neemt 'ie Julia ook mee?'

Hij kijkt me aan. 'Daar wist ik niets van, hoor,' zegt hij dan.

'Ze zijn toch vriendje en vriendinnetje nu.' Tijn rolt met zijn ogen. 'Lijkt me logisch dan.'

'Het geeft niet,' zeg ik tegen Raoul, en ik raak even kort zijn arm aan. 'Ik wist al dat ze zou komen.'

Misschien komt het doordat Raoul net zo beschermend vroeg of Wendy boos was op mij, of dat hij nu weer zo duidelijk laat merken dat hij Julia ook niet heeft uitgenodigd, maar ik heb opeens onwijs zin om hem te zoenen.

Waarom maak ik me altijd zo druk om niets? Waarom trek ik

me die sms'jes zo aan? Wat maakt het nu uit dat hij mij nog niet officieel heeft gevraagd? Het ging toch hartstikke goed?

Ik verbeter mezelf in mijn hoofd. Het gáát hartstikke goed. Meer dan goed, lach ik in mezelf.

'Zeg, Raoul...'

RAOUL

'Kom eens,' zegt ze, me met een vinger wenkend. 'Ik wil je even wat zeggen.'

Tijn loopt net weg om wat te drinken voor ons te halen. Maud lacht naar me als ik niet snel genoeg reageer. Ze haakt haar voet om mijn knie en trekt me naar zich toe.

'Ik moet je wat vertellen, zei ik toch?' Haar stem klinkt zacht en ze kijkt me doordringend aan. 'Ik vind je echt heel erg leuk, Raoul.'

Ze klinkt zo echt, zo oprecht en zo eerlijk dat ik het alleen maar zou verpesten als ik nu 'ik jou ook' zou zeggen.

Ik schuif een lok haar voor haar ogen weg en geef haar zachtjes een zoen op haar mond. Ik hoor hoe ze haar adem inhoudt als ze heel langzaam haar mond opent. We blijven elkaar aankijken, terwijl ik haar zoen en door haar haren strijk. Het interesseert me niet dat mensen ons nu zo zien, dat wij hier ongegeneerd zitten te zoenen op een feestje. Voor mijn part ziet iedereen ons. Iedereen mag weten dat Maud bij mij hoort.

Ik blijf haar aankijken. Ik weet wat ze zei zonder het zeggen. Ik weet het. Die dingen die ze moest uitzoeken: ze heeft ze uitgezocht en het is goed zo. Ik wil niet weten of ze met andere jongens heeft ge-sms't of heeft afgesproken of niet. Ik hoef het niet te weten, als ik alleen maar jaloers kan worden van die informatie.

'Hé! Kun je dat misschien op je eigen slaapkamer doen met mijn zusje? Daar hoeven wij niet allemaal van mee te genieten, hoor.'

Ik voel opeens een harde stoot tegen mijn schouder, waardoor mijn hoofd tegen die van Maud aan knalt. Mijn voortand schaaft haar onderlip.

'Au!' Ruw duwt Maud me van zich af en grijpt naar haar onderlip. 'Kun je niet uitkijken, eikel?'

'Hé, daar kan die lover van je toch niets aan doen,' grijnst Job, terwijl hij me nog een keer op mijn schouder slaat.

'Ik had het ook tegen jou,' zegt Maud.

Geïrriteerd kijk ik naar Job. Weg is de sfeer, weg is het moment met Maud. Eindelijk hadden we even geen ruzie over Julia of smsjes of wat-dan-ook en dan komt Job het verstoren.

'Jeb ik ook bjoed?' Maud trekt haar onderlip naar beneden en buigt zich naar voren.

Ik zie een klein rood streepje, maar geen bloed.

'Nee,' zeg ik. 'Een bloeduitstortinkje, verder niet.'

'Zitten jullie hier de hele avond al te vrijen?' lacht Job, van zijn ene been op het andere wippend.

Wat heeft die jongen toch? Normaal doet 'ie ook niet zo stoer.

'Niet de hele avond,' zegt Maud, terwijl ze haar armen over elkaar slaat en Job boos aankijkt. 'We hebben net namelijk eerst nog een hele poos met Wendy gepraat. Leuke meid, hoor.'

Jobs gezicht vertrekt van kleur.

Inwendig kan ik alleen maar juichen. Ik vind haar zo stoer en zo mooi nu, hoe ze Job met één zin met zijn mond vol tanden zet.

'O,' zegt Job. 'O. Wat had ze dan?'

'Ze was nogal eh, hoe zeg ik dat netjes...' Maud doet net alsof ze druk naar woorden zoekt, voordat ze opkijkt en zegt: 'Ze vindt je een ongelofelijke hufter. Broer.'

'Wat heeft ze je verteld?'

Maud kijkt hem aan. 'Ik denk dat je dat wel weet. En het maakt me niet eens zo veel uit, Job. Maar laat haar het daar lekker met haar vriendinnen over hebben, in plaats van naar mij toe te komen.'

'Ik eh...' Van Jobs stoere houding van net is weinig meer over. Hij buigt zich naar voren en zegt zachtjes: 'Ik heb liever niet dat Julia het weet, hoor.'

'Liever niet dat Julia wát weet?'

Ik hoef me niet eens om te draaien om te weten dat Julia nu achter ons staat. Had ik het niet aan haar stem geraden, dan had ik het wel aan de manier van praten gehoord. Ze kan zo uit de hoogte doen.

Ze duwt me iets aan de kant, zodat ze naast Job komt te staan. Haar parfum prikt in mijn neus. Ze ruikt zoals oude vrouwen ruiken, oude vrouwen van over de dertig met een kind.

'Nou,' zegt ze terwijl ze van mij naar Maud naar Job kijkt. 'Vertel op.'

Job kijkt me aan voor bijval. Maar ik zou niet weten wat ik zou kunnen zeggen om hem te helpen.

'Doe nou niet zo stom,' zegt Julia en ze stoot Job aan. 'Ik hoorde mijn naam, wat had je over mij?'

'Niets,' zegt Job. 'Ik weet niet meer waar we het over hadden.'

Julia snuift een keer en trekt één wenkbrauw op. 'Volgens mij hadden jullie het over iets dat ik niet mocht weten.'

Ik begin me een beetje zenuwachtig te voelen. Plaatsvervangende zenuwachtigheid. Ik zou me in Jobs plaats behoorlijk lullig voelen nu.

Julia kijkt van Job naar Maud en daarna weer naar Job. 'Ach,' zegt ze dan. Ze kijkt Maud strak aan. 'Is dit wat ik denk wat het is? Stond Wendy daarom net bij je?'

Maud kijkt schuldbewust op. Hoe krijgt Julia het voor elkaar dat ze nu Maud weer een schuldgevoel weet aan te praten?

'Gaat het daar over? Over Job en Wendy en eh...' Julia laat een korte, schelle lach horen. 'Dat wist ik allang, man.'

Heeft ze nu net gezegd dat ze allang wist dat Job en Wendy het met elkaar hebben gedaan? Hoe weet zij dat nu weer?

Julia lacht met een brede grijns naar Job en knipoogt. 'Ik krijg ook wel eens een sms'je.'

Job kijkt me aan alsof ik iets weet, maar ik heb ook geen idee wat Julia nu eigenlijk zegt.

'Wat bedoel je?' zegt Job traag.

'Ja, hoe zeg ik dat subtiel,' lacht Julia. 'Laat ik het zo zeggen: dat van jou en Wendy kreeg ik wel erg "beeldend" te horen.'

'Wat?' Jobs stem klinkt hoog. 'Ik snap je even niet.'

'Ach, Job, kom op nu,' lacht Julia. 'Waarom denk je dat Wendy zo boos op je is?'

Ze laat de cola in haar glas rollen en neemt een paar flinke slokken achter elkaar. Op harde fluistertoon zegt ze dan: 'Ik zou het ook niet leuk vinden als onze eerste keer werd gefilmd.'

MAUD

Job kijkt alsof iemand hem net keihard in zijn gezicht heeft geslagen. Keihard heeft geslagen en daarna een bak ijswater in zijn gezicht heeft gegooid. Met de ijsklonten er nog in.

'Wat?'

'Gefilmd?' zeg ik.

Julia kijkt Job aan en fronst daarna haar wenkbrauwen naar mij. 'Of zeggen jullie nu...' Ze zwijgt even. 'Hoe denken jullie dat ik dat anders weet?'

Job kijkt Julia met open mond aan. 'Gefilmd? Wat is...? Is er...?'

Julia knijpt haar ogen tot spleetjes en zegt: 'Je wist het echt niet, hè?'

'Wat, in vredesnaam? Dat wat gefilmd is?'

Julia graait in haar tasje naar haar mobiel. 'Dat je gefilmd bent, sukkel,' zegt ze boos. Ze duwt haar mobiel in zijn handen. 'Hier. Kijk zelf maar.'

Job duwt ruw haar hand weg. 'Hou op, Juul. Ik heb hier geen zin in.'

'Doe nou niet zo dom!' zegt Julia, terwijl ze druk dingen op haar mobiel intoetst. 'Kijk dan zelf. Zo erg is het nu ook weer niet.'

'Zo erg is het niet? Zo erg is het niet?'

Nog even en Job gooit zijn glas op de grond. Het verbaast me dat hij dat niet allang gedaan heeft. Ik zou ook woedend worden als ik zou weten dat iemand me had gefilmd terwijl ik... nou ja. Ik ril even kort, zonder dat ik het echt koud heb. In één klap is Job niet meer Job-mijn-broer, maar is hij Job-een-jongen-met-een-compleet-eigen-leven, een leven waarin 'ie seks heeft met meisjes. Zou Wendy zijn eerste zijn? Of is hij al met veel meer meiden naar bed geweest? Hoe kan het dat Job al aan séks doet, terwijl ik nog ergens bij het eerste honk rondhang?

'Hoe zou jij het vinden, als... als...' Job komt van kwaadheid niet meer uit zijn woorden. 'Laat ook maar,' snauwt hij dan. 'Kom eens hier met dat telefoontje. Ik wis het meteen.'

Julia houdt meteen haar mobiel achter haar rug. 'Nee. Bekijk het filmpje nou maar eerst voor je hem wist.'

'Waarom zou ik willen kijken,' schreeuwt Job. 'Geef hier die telefoon.'

Ik voel dat ik boos word. Boos op degene die het gefilmd heeft en boos op Job. Hoe heeft hij zo stom kunnen zijn?

Julia houdt haar telefoon nu weer naar hem op. 'Stel je niet zo aan. Je ziet er bijna niets van. Het is dat er in het sms'je bij stond dat jij het was, anders had ik het niet eens gezien.'

'Wist jij hiervan?' vraagt Job aan Raoul. 'Of de jongens van voetbal. Weten zij er iets van? Wie heeft dat filmpje allemaal nog meer?'

Raoul houdt zijn handen omhoog. 'Ik weet van niets, echt niet. Dit is ook de eerste keer dat ik het hoor.'

Job wrijft met zijn duim en wijsvinger over zijn ogen naar zijn neus toe en schudt zijn hoofd. 'Een filmpje!' zegt hij nog eens. 'Wie heeft dat in vredesnaam... Wat als mijn ouders dat te zien krijgen? Of als iemand het op internet zet?'

Julia tikt wat in op haar mobiel en houdt hem dan voor Jobs gezicht. 'Geloof mij nu maar. Zo erg is het niet.'

Jobs gezicht staat helemaal strak. Zijn mond is een smalle streep en zijn ogen zijn groot.

Julia houdt haar mobiel een eindje van zich af. Het geluid uit haar mobieltje is krakkemikkig. Iemand roept 'sssst' en je hoort het breken van een stel takjes.

'Het is donker,' zegt Job, terwijl hij dichter naar de telefoon buigt.

'Straks wordt het wel lichter,' zegt Julia.

Job knijpt met zijn ogen. 'Ik zie nog steeds niets... Ik...' Dan vertrekt zijn gezicht. 'Het kan iedereen zijn,' zegt hij. 'Toch?' Hij kijkt mij aan.

Echt niet dat ik dat filmpje ga bekijken. Ik heb nog nooit zo'n soort filmpje gezien. En ik wil zo'n soort filmpje ook niet zien. Helemaal niet als het van mijn eigen broer is.

'Raoul, kijk jij dan.' Job pakt Raoul bij zijn schouder en trekt hem naar zich toe. 'Het kan iedereen zijn, toch?'

Raoul kijkt eerst mij ongemakkelijk aan, voordat hij naar het schermpje van de telefoon kijkt.

'Je ziet alleen het licht van de lantaarnpaal en wat bewegen. Toch?'

Ik heb Job nog nooit zo zenuwachtig gezien. Opeens lijkt het wel alsof hij veertien is en ik zeventien. Ik zou iets willen zeggen, maar ik zou niet weten wat.

Julia bijt op haar lip. 'Straks wordt er heel even ingezoomd. Als je het weet, kun je wel zien dat jij het bent.'

Even zijn ze alle drie stil. Dan zegt Raoul: 'Je ziet niet dat het Wendy is. Dit zou iedereen kunnen zijn.'

Job pakt de telefoon van Julia over en klapt hem in. 'Ik hoef 'm niet verder te zien.' Meteen daarna klapt hij de telefoon weer open. 'En niemand hoeft 'm verder te zien. Jij, Raoul, ik. Niemand heeft er verder iets mee te maken.'

'Wat doe je nu?' roept Julia, terwijl ze haar telefoon uit Jobs handen probeert te grijpen.

'Wissen, natuurlijk. Wat denk jij dan?' Met een kwaad gezicht drukt Job wat toetsen in. 'Ik snap niet dat je hem nog steeds in je telefoon hebt staan, trouwens. Aan wie laat je 'm allemaal zien? Hoe lang heb je 'm al?'

'Van wie heb je dat filmpje eigenlijk?' Ik heb pas door dat ik dat heb gezegd, als Julia me vreemd aankijkt.

'Hoezo?' zegt ze, terwijl ze haar haren over haar schouder gooit. 'Wat maakt dat nou weer uit?'

'Inderdaad,' zegt Job dan opeens fel. 'Van wie heb je dat filmpje eigenlijk, Juul? Of heb je me zelf lopen filmen?'

Julia heeft opeens verdacht veel belangstelling voor de grond.

'Nou?' dringt Job aan.

Julia kijkt even naar Raoul. 'Ik geloof er niets van dat jij dat filmpje niet eerder hebt gezien.'

Ik voel een vreemde kriebel door mijn maag trekken. Waarom zegt Julia dat? Weet Raoul van het filmpje?

Job pakt Julia bij haar schouder beet. 'Juul... Zeg op. Wie heeft je dat filmpje doorgestuurd?'

Julia kijkt Job strak aan en zegt dan: 'Jasper. Jasper heeft 'm me doorgestuurd.'

RAOUL

Jasper? Ik geloof er niets van. Jasper zou nooit...

'Je liegt,' zeg ik.

Julia staat me met haar armen over elkaar aan te kijken. 'O ja?' zegt ze. 'O ja?'

Ze werpt even een blik op Maud en zegt dan tegen mij: 'Ik denk dat jíj liegt.'

Ik zie dat Maud wat wil zeggen, maar nog in dezelfde seconde haar hoofd schudt.

Julia negeert Maud. 'Jíj liegt, Raoul. Ik denk dat je er gewoon niet voor uit durft te komen dat je het filmpje allang hebt gezien.' Ze buigt zich naar mij toe en fluistert op harde toon: 'Omdat je niet wil dat zíj dat weten.'

'Hou toch op, mens,' zeg ik met overslaande stem. 'Ik heb dat filmpje niet gezien! Ik wist niet eens dat Job en Wendy... ach, laat ook maar.'

Hoe doet ze dat toch altijd? Nu krijg ik weer de schuld, terwijl ik niets heb gedaan. Ik heb dat stomme filmpje nooit eerder gezien!

'En Jasper heeft jou dat filmpje ook niet gestuurd,' zeg ik zo overtuigd mogelijk. 'Ik geloof er niets van.'

'Hm,' zegt Julia op een hoog toontje. 'Waarom vragen we het hem niet gewoon even? Jas? Jasper!'

Binnen een paar stappen is Jasper bij ons. 'Wat is hier aan de hand? Volgens mij kunnen ze jullie buiten nog horen.'

Juul zwaait haar mobiel kort heen en weer. 'Kun jij je nog herinneren dat je mij een filmpje hebt gestuurd? Misschien een kleine week geleden, of zo?'

Jasper kijkt haar niet-begrijpend aan. 'Filmpje? Wat voor filmpje? Waar heb je het over?'

Julia pakt hoofdschuddend Job bij zijn schouder en klapt haar telefoon weer open. 'Als je maar niet denkt dat ík dat filmpje heb gemaakt,' zegt ze zachtjes.

Maud heeft inmiddels ook al haar armen en benen over elkaar geslagen. Haar gezicht staat op oorlog. Ik probeer oogcontact met haar te maken om haar te seinen dat ik hier echt niets mee te maken heb, maar ze blijft strak naar Julia kijken.

'Hier,' zegt Julia dan en ze houdt haar telefoon naar Jasper op. 'Dit filmpje.'

Job heeft al die tijd nog niets gezegd. Hij zei niets toen Julia zei dat Jasper haar dat filmpje had gestuurd. Hij zei niets toen ik zei dat Jasper dat nooit zou hebben gedaan. En toen Julia zei dat ik loog en dat ik echt wel dat filmpje had gezien, zei Job nog steeds niets. Maar bij het zien van Jaspers gezicht als hij het filmpje bekijkt, kan hij zich niet langer inhouden.

'Wel, dus!' schreeuwt Job, terwijl hij hulpeloos om zich heen kijkt. 'Dus toch... Dat, dat had ik echt nooit van jou verwacht.'

Jasper ziet eruit alsof hij elk moment kan gaan huilen.

Ik geloof het nog steeds niet. Ik geloof niet dat...

'Ik heb het echt niet naar Julia gestuurd,' zegt Jasper met een trilling in zijn stem. 'Echt niet, je moet...'

'Waarom kijk je zo?' schreeuwt Job. 'Je houdt mij niet langer voor de gek, hoor! Jij weet hier meer van.'

'Luister dan even,' begint Jasper.

Ik heb het gevoel dat het me allemaal even te snel gaat. Dat ik naar een film zit te kijken die versneld wordt afgespeeld.

'Dat hoofd van jou zegt alles,' schreeuwt Job naar Jasper. 'Iemand die er niets van af weet, zou nooit zo'n rode kop krijgen.'

'Hou nou eens op met schreeuwen,' roept Julia met schelle stem. 'Of Jasper wel of niet dat filmpje heeft doorgestuurd, daar komen we toch snel genoeg achter?' Ze laat nog net geen vals lachje horen, maar ik weet dat ze hier inwendig plezier om heeft. Ze kijkt ons een voor een aan en toetst daarna iets op haar telefoon in. 'Als Jasper hier niets mee te maken heeft, dan zal hij nu ook wel niet gebeld worden.'

Ik voel hoe mijn mond droog wordt. Het zal toch niet dat...

Vanuit Jaspers jas, die over een stoel hangt, gaat een telefoon af.

'Dat kan niet,' zegt Jasper. 'Dat kan niet. Ik heb dat filmpje echt niet gestuurd!' Zijn stem wordt steeds hoger. 'Mijn telefoon is gejat. Raoul, jij weet het. Jij weet dat mijn telefoon is gejat. Ik heb het er net nog met je over gehad!'

Ik voel hoe Maud met open mond naar me kijkt. Als ze maar niet denkt dat ik er wat mee te maken heb!

'Ik ...' begin ik.

Jasper kijkt me verbaasd aan. 'Kom op nou, Raoul! Ik heb je nog geen kwartier geleden zitten vertellen dat mijn telefoon vorige week gejat is!'

'Klopt,' zeg ik dan. Ik kijk Maud en Job aan en negeer met opzet Julia. 'Dat heeft hij inderdaad net verteld.'

'Je moet me geloven,' zegt Jasper dan tegen Job. 'Ik heb dat filmpje niet gestuurd.'

'Maar je hebt hem wel gemaakt,' zegt Job. 'Toch?'

Jasper zwijgt even.

'Je legt er zo de nadruk op dat je hem niet gestuurd hebt...' Job maakt zijn zin verder niet af.

Jasper zwijgt en zegt dan zo zacht, dat we automatisch alle vier naar voren buigen: 'Ik dacht dat ik 'm gewist had.'

'Lul!' schreeuwt Job dan. 'Jij ontzettende... Aargh! Wat is dit voor ongelofelijke rotstreek! Je gaat toch niet iemand filmen, die, die...'

Als er al mensen in de kamer waren die niet mee luisterden, dan hielden ze nu wel op met praten om het gesprek mee te krijgen.

'Het was een geintje,' fluistert Jasper terwijl hij nog steeds naar de grond kijkt. 'Tijn en ik ontdekten jullie bij toeval.'

'Een geintje?' schreeuwt Job. 'Een geintje?' Het lijkt hem weinig meer te interesseren dat steeds meer mensen in de gaten krijgen waar het over gaat.

'Je gaat toch niet...'

Maud wil wat zeggen, maar Jasper onderbreekt haar ruw.

'Het is ook zijn eigen schuld, hoor,' zegt hij tegen haar. 'Ze deden het praktisch op het voetbalveld. Iedereen had jullie kunnen zien!'

'O!' lacht Job, maar zijn lach klinkt kort en hard. 'En dan ga je het maar filmen?'

'Ik heb het echt niet doorgestuurd,' zegt Jasper dan weer. 'Iemand anders moet het gedaan hebben. Mijn telefoon is gejat en...'

Even lijkt het erop dat Job Jasper gaat slaan. Zijn vuist is gebald en hij kijkt Jasper met toegeknepen ogen aan. Dan draait hij zich om en loopt weg.

MAUD

Ik heb de hele ochtend Raoul geholpen met opruimen. Ik heb de volle bierflesjes terug in de koelkast gelegd, de halfvolle bierflesjes in het toilet leeggegooid en de lege bierflesjes in de kratten gedaan. Ik heb de chipskruimels uit de bank gepoetst, de colakringen van de tafel geboend en ik heb zelfs de stofzuiger uit Raouls handen gegrepen toen hij na vijf minuten nog bezig was de deurmat te zuigen. Ik ben het spuugzat nu.

Het liefst zou ik het hele feestje van gisteren uit mijn geheugen wissen. Ik word misselijk bij de gedachte dat er een seksfilmpje van Job bestaat. Sommige dingen hoef je gewoon nooit te weten. Dat je broer aan seks doet, is er daar één van.

'Zo,' zeg ik, terwijl ik me op de bank laat neerploffen en ongegeneerd mijn voeten op tafel leg. 'Ik heb wel een glas cola verdiend.'

Raoul ploft naast me neer en geeft me een kus op mijn plakkerige haren. 'Je hebt wel een fles cola verdiend, schatje,' zegt hij, en hij trekt met zijn ene voet de tafel wat dichterbij.

Nu ik eindelijk even zit komen de herinneringen aan gisteravond weer een voor een naar boven.

Job die gefilmd is terwijl hij seks had met Wendy.

Julia die drie weken later verkering heeft met Job.

Julia die drie weken later het seksfilmpje heeft van Job.

Julia die het filmpje heeft gekregen van Jasper.

Jasper die blijft volhouden dat hij het filmpje niet heeft doorgestuurd.

Ik zucht zo onopvallend mogelijk. Er klopt iets niet. Ik heb het gevoel dat ik iets over het hoofd zie, maar ik zou niet weten wat. Misschien is het het verbaasde gezicht van Jasper, dat écht leek uit te stralen dat hij van niets wist. Ik weet het niet meer.

'Pfff,' hoor ik naast me. 'Ik weet niet wat jij gaat doen, maar ik ga douchen. Ga je mee?'

Ik voel hoe het bloed uit mijn gezicht wegtrekt. Mee? Douchen? Naakt? Met Raoul?

'Ik eh...'

'Geintje,' lacht Raoul en hij geeft me een kus die ergens tussen mijn wang en mond belandt. Even kijkt hij me met toegeknepen ogen aan. 'Zie je kijken! Ben ik zo lelijk?'

'Wat? Nee. Maar...' Ik begin spontaan te stotteren.

'Wil je wél met me douchen?' onderbreekt hij me, 'wil je dat zeggen?' Met een grote grijns kijkt hij me aan.

'Rotzak,' zeg ik dan.

Raoul begint hardop te lachen. 'Jij kan ook zo ontzettend schattig doen.' In een poging mij na te doen zet hij grote ogen op en zegt hij op slome toon: 'Douchuh... Dat durf ik nie hoor.'

Ik geef hem een duw. 'Ga nou maar. Je stinkt.'

'Jij ook,' zegt hij en hij haalt overdreven zijn neus op. 'Daarom vroeg ik ook of je mee wilde.'

'Grappig hoor,' zeg ik, terwijl ik opeens zogenaamd heel druk ben met het zoeken naar de afstandsbediening. Het rotjoch weet er ook altijd een opmerking overheen te maken.

'Jij vermaakt je wel even, toch?' vraagt Raoul terwijl hij zijn schoenen uittrekt. 'En zo niet, dan mag je wel vast aan de afwas beginnen die nog op het aanrecht staat. En ik heb trouwens ook best een beetje honger. Als je straks wat eten kan maken, zou dat geweldig zijn.'

Ik blijf strak naar de tv kijken die ik net heb aangezet. Als ik hem nu aankijk, begin ik te lachen en hij moet niet denken dat ik hem stiekem nog grappig vind ook.

Raoul wrijft door mijn haren en loopt dan fluitend de kamer uit. Bij de deur blijft hij even staan en zegt: 'Een boterham is ook goed, hoor. Je hoeft echt niet uitgebreid te koken.'

'Want ik heb ook vakantie?' doe ik mijn moeder na.

'Jij snapt het,' lacht Raoul.

Ik zap twee rondes langs alle kanalen voordat ik hem op een of ander beautyprogramma laat stilstaan. Wanneer ik naar voren buk om de afstandsbediening terug te leggen op tafel, zie ik dat Raoul zijn telefoon heeft laten liggen.

Iets in me wil meteen zijn telefoon pakken om al zijn berichtjes te checken, maar iets anders houdt me op hetzelfde moment tegen. Fatsoen, misschien. Wanneer ik zijn sms'jes stiekem ga lezen, zeg ik eigenlijk tegen mezelf dat ik hem niet helemaal vertrouw.

Met mijn voet geef ik een klein schopje tegen zijn telefoon. Zo, niet meer aan denken.

Toch zeurt het in mijn hoofd. Door dat gedoe gisteravond heb ik even niet meer aan mijn eigen sms'jes gedacht. Maar wat nu als die twee met elkaar te maken hebben? Waarom zou Julia dat filmpje van Job en Wendy niet gemaakt kunnen hebben? Misschien is ze nu wel bang dat Job erachter komt dat zíj dat filmpje heeft gemaakt en geeft ze daarom Jasper de schuld. En misschien heeft ze daarom ook wel die berichtjes...

'Aaargh!'

Gefrustreerd laat ik me achterovervallen op de bank. Ik maak mezelf helemaal gek met dat gepieker. Ik heb het gevoel dat er iets is, waar ik mijn vinger niet precies op kan leggen. Maar ik wéét dat het er is. Iets dat me langzaam aan het gek maken is. En iets wat ik binnen een paar seconden kan oplossen, hoor ik Raouls telefoon tegen me zeggen. Ik hoef alleen maar Julia's telefoonnummer te checken. Hoe snel is dat gebeurd? Drie, vier seconden?

Raoul heeft vast Julia's nummer in zijn telefoon staan. Komt dat overeen met het nummer waarvan ik de berichtjes krijg, dan heb ik eindelijk mijn antwoord.

Raouls telefoon voelt zwaar aan als ik hem van tafel pak. Het bliepje van de toetsblokkering klinkt als een knal in mijn oren. Als Raoul nu binnenkomt... Als Raoul me nu betrapt terwijl ik in zijn telefoon zit te kijken...

Ik maak de gedachten in mijn hoofd niet eens af. Razendsnel scroll ik naar de J. Er staan twee namen in: Job en Juul. Geen Julia, maar Juul.

Even gaat er een venijnig steekje door me heen. Juul. Ik weet dat hij haar allang niet meer zo noemt, maar toch vind ik het niet leuk dat ze nog met haar afkorting in zijn telefoon staat.

Ik voel hoe mijn duim zweet op het select-knopje achterlaat als ik haar contactgegevens open. 'Here we go,' fluister ik zachtjes. Maar het lijkt het er niet eens op, zie ik dan. Haar nummer. Julia's 06-nummer.

Ik had zo verwacht het nummer te zien dat bij de sms'jes hoort, dat ik echt een paar keer goed moet kijken. Heeft Raoul soms haar oude nummer nog? Staat ze daarom ook nog als Juul in zijn telefoon?

En dan ben ik het opeens flink zat ook. Ik weet zeker dat het Julia is die me de hele tijd lastigvalt en ik zal het bewijzen ook. Blindelings tik ik de tien cijfers in van het telefoonnummer waardoor ik de hele tijd word ge-sms't. Voor het nummer hoef ik niet eens meer in mijn mobiel te kijken. Die ken ik al uit mijn hoofd.

Wanneer ik de cijfers heb ingetoetst, druk ik snel op het groene knopje voor ik me bedenk en niet meer durf. Kom maar, Juul, denk ik bij mezelf. Ik ben er klaar voor.

De kiestoon snerpt een paar keer hard in mijn oor, maar het maakt niet zo'n hard geluid als het gesuis in mijn oor.

Pak dan op, trut, denk ik bij mezelf. Pak dan nu ook...

'Hey Raoul, hoe is het? Wacht even hoor, hier...'

Uit paniek weet ik niet hoe snel ik het gesprek moet wegdrukken. Ik druk een paar keer zo hard achter elkaar op het uitknopje, dat ik de telefoon bijna uit mijn handen laat vallen. Ik voel hoe het suizen in mijn oren steeds gejaagder wordt en hoe het achter mijn ogen keihard begint te bonken.

Die stem die ken ik. Die stem die herken ik uit duizenden.

Het is de stem van Lynn.

RAOUL

Wanneer ik de woonkamer in loop staat de tv aan, maar is Maud weg.

'Maud?' roep ik.

Misschien is ze even buiten aan het bellen. Ze loopt wel vaker even weg als ze belt. Ze kan niet stilzitten en bellen tegelijk, beweert ze.

'Maud?' roep ik nog eens.

Vanaf de bank licht het schermpje van mijn telefoon op. Twee gemiste oproepen, zie ik. Als ik mijn telefoon oppak, herken ik meteen het nummer van Jasper met de drie keer nul op het einde.

Het is een vreemde tik van mij dat ik nummers die ik uit mijn hoofd ken, niet onder de naam opsla. Het is dat Maud haar eigen naam erin heeft gezet, anders had ze er nog steeds alleen met haar telefoonnummer in gestaan.

Ik gooi mijn telefoon weer terug op de bank.

Ik heb even geen zin in Jasper. Jasper mag dan wel mijn beste en oudste vriend zijn, ook in je beste en oudste vrienden kun je je vergissen, blijkbaar.

Het is maar goed dat ik gisteravond Job nog gekalmeerd heb, anders had Job Jasper 's nachts nog opgezocht. Woest was 'ie, toen het later op de avond tot hem doordrong wat er nu echt was gebeurd. Wat hadden Jasper en Tijn in vredesnaam gedacht toen ze het filmpje opnamen? Waarom hadden ze het gefilmd? En als ze er toch niets mee wilden doen, waarom hadden ze het dan niet meteen gewist?

Het meest kwaad was Job nog wel dat Jasper bleef liegen. Volgens Job was het echt wel Jasper geweest die het filmpje had doorgestuurd aan Julia. 'Het kan toch niet anders,' bleef hij maar herhalen. 'Dat hij me zou filmen, had ik al nooit van hem verwacht. Dus dan zal hij het ook wel aan iedereen hebben doorgestuurd.'

Maar ik kan me niet voorstellen dat Jasper dat filmpje heeft doorgestuurd aan Julia.

'Je moet me geloven,' zei Jasper toen we aan het einde van de avond met zijn tweeën buiten stonden. 'Ik heb dat filmpje echt niet naar haar gestuurd. Zoiets zou ik nooit doen. Dat filmpje... het was een geintje. Het was niet mijn bedoeling dat iemand het te zien zou krijgen.'

Hij had even gezwegen. 'Kijk, ik... Als, en ik zeg áls, ik hem naar iemand had gestuurd, dan was het naar jou geweest.'

Ik had geknikt. Dat was precies hetzelfde wat ik had gedacht. Jasper is helemaal niet het type om stoer te doen met zo'n filmpje, maar als hij het aan iemand had laten zien, dan had hij het aan mij laten zien. Aan mij, zijn beste vriend.

'Wat bezielde je in vredesnaam?' had ik gevraagd. 'Waarom heb je hen in vredesnaam gefilmd?'

Jasper had schuldbewust opgekeken. 'Ik weet het ook niet.'

Hij had tussen twee vingers door op de grond gespuugd en gezworen dat het niet met opzet was gebeurd.

'Luister,' zei hij. 'Ik vertel het je één keer en daarna is het aan jou om me te geloven of niet. Een paar weken geleden waren we met zijn allen 's avonds laat op het voetbalterrein. Jij was er die avond ook nog wel, maar je bent vroeg naar huis gegaan.'

Ik had even moeten nadenken. 'Die avond waar het halve voetbalteam toen bij was? Hé, was Juul daar toen zelf ook niet bij?'

Jasper had even moeten nadenken. 'Volgens mij kwam die pas veel later. Hoe dan ook: aan het begin van de avond waren we al stomdronken. Ik net zo goed, hoor.' Jasper had even gegrijnsd. 'We gingen zelfs hinkelspelletjes doen op de tribune. In ieder geval, ik moest op een gegeven moment pissen. Ik was net de bosjes in gelopen, toen ik iets bij de voetbalkantine zag bewegen. Toevallig was Tijn me achternagelopen omdat hij ook moest pissen en hij zag meteen wat er aan de hand was. "Dat zijn Job en Wendy, joh!"'

Jasper had weer even naar zijn telefoon gekeken alsof hij nog steeds niet snapte hoe het kon dat het ding die avond opeens weer in zijn jaszak zat.

'En waarschijnlijk had ik te veel gedronken of zo,' had hij gezucht. 'Maar ik zag echt niet dat zij het waren. Toen zei Tijn dat ze het wel waren en dat ik anders maar met mijn mobieltje op ze moest inzoomen om te zien dat het echt Job wel was.'

Jasper had even mijn gezicht gepeild om te kijken of ik hem geloofde.

'Ik wil Tijn niet de schuld geven, maar zo is het echt gegaan,' was hij verdergegaan. 'En als ik eerlijk ben: ik vond het op het moment dat ik hen filmde ook wel erg grappig. Het zag er ook zo stom uit: Job met zijn voetbalshirt nog aan... Maar ik heb het echt niet expres gedaan.'

Jasper had zijn schouders opgehaald. 'Drie dagen later was mijn telefoon gejat.'

'Kijk,' had ik hem toen onderbroken. 'En dat gedeelte snap ik niet. Je telefoon wordt gejat en vanavond heb je hem opeens weer terug. Hoe kan zoiets? Leg me dat maar eens uit.'

Jasper had weer zijn schouders opgehaald. 'Dan geloof je me lekker niet,' zeiden die.

'We waren met zijn allen bij het strandje en we hadden afgesproken dat er steeds iemand op de spullen zou passen,' had Jasper op monotone toon verteld. 'Ik heb zo'n beetje de hele dag in het water gelegen, het was bloedheet die dag. Pas toen ik weg wilde gaan, ontdekte ik dat mijn telefoon er niet meer lag.'

'En toen?'

'Het kan iedereen zijn geweest. En ik kan ook niemand de schuld geven. Toen het mijn beurt was om een uurtje op de spullen te letten, ben ik ook wel even snel wezen plassen. Misschien heeft iemand mijn telefoon in die korte tijd wel gejat, wie zal het zeggen.'

Opeens had ik heel erge medelijden met hem gekregen.

'Ik weet wel dat je me niet gelooft,' had hij toen gezegd. 'En dat snap ik. Maar iemand zit me te fucken en ik ga erachter komen wie. Jíj gelooft me niet, Job niet, niemand niet, maar ik kom te weten wie er hier een vies spelletje met mij speelt.'

Hij keek voor de zoveelste keer naar zijn telefoon alsof het ding de ontsteking van een bom bevatte. 'Er klopt gewoon iets niet. Degene die toen mijn telefoon heeft gejat, heeft 'm vanavond weer terug in mijn zak gestopt. Snap je het dan niet? Het moet dus wel een bekende zijn.'

Hij had even niets gezegd en toen leek het alsof zijn gezicht opeens weer wat kleur kreeg. Hij had me een klap op mijn schouder gegeven en was in praktisch dezelfde seconde weggefietst. Voordat hij een 'Ik bel je nog, echt, maar ik moet nu weg' over zijn schouder had geroepen, had ik aan zijn gezicht gezien dat voor hem opeens alles op zijn plek was gevallen.

MAUD

Ik voel me net een klein kind die haar moeder heeft meegenomen, als ik samen met Koen het tuinpad van Lynns huis op loop.

Ik loop bewust naar de voordeur en ga niet door de achterdeur naar binnen, zoals ik normaal altijd doe.

Ik weet niet meer wat ik moet denken. Ik wil niet geloven dat Lynn me al die sms'jes heeft gestuurd, maar het was toch echt zíj die ik aan de andere kant van de telefoon hoorde.

'Gaat het?' vraagt Koen als ik de deurbel indruk.

Zonder hem aan te kijken, knik ik mijn hoofd. Het gaat prima met me. Kom maar op.

Even schiet er nog door me heen dat ik niet weet wat ik moet zeggen als Lynns moeder de deur opendoet, maar die gedachte gaat al snel weg als ik Lynns silhouet door het glas van de voordeur zie.

Blijkbaar heeft ze mij ook herkend, want haar gezicht staat verbaasd als ze de deur opendoet. 'Wat doen jullie nou hier? Is er iets?'

'Mogen we even binnenkomen?' vraagt Koen, voordat ik iets kan zeggen.

'Ja, natuurlijk' zegt Lynn, terwijl ze de deur verder opendoet. 'Kom binnen. Wat is er dan?'

Zonder iets te zeggen loop ik langs haar heen de gang in. Ik kan wel janken.

Koen en ik zitten al een paar minuten alleen aan de tuintafel buiten. Lynn heeft het opeens heel druk met cola inschenken. Ik kan me nog steeds niet voorstellen dat zij ook maar iets met die sms-jes te maken heeft, maar waarom doet ze dan opeens zo zenuwachtig nu?

Lynn loopt de achtertuin in terwijl ze drie glazen cola onhandig in haar handen houdt. Ze bijt op het puntje van haar tong als ze de glazen neerzet. 'Zo,' lacht ze ongemakkelijk als ze gaat zitten. 'Gaan jullie me nu zeggen wat er is? Ik word er haast bang van, hoe serieus jullie kijken.'

'Ik weet alles,' zeg ik dan. Ik merk zelf hoe rustig ik ben. Alsof er letterlijk een last van mijn schouders valt. Ik ben zo opgelucht dat het nu voorbij is, dat het me niet eens meer zo veel doet dat Lynn het was. Het is over.

'Waar heb je het over?' vraagt Lynn. 'Wat weet je?'

Even ben ik geneigd om te zeggen dat ze actrice moet worden, zo oprecht verbaasd kijkt ze naar me.

'De sms'jes, Lynn. Ik weet dat jij ze gestuurd hebt.'

'Sms'jes?' zegt ze. 'Welke sms'jes? Krijg jij…?'

'Alsjeblieft, houd op,' onderbreek ik haar ruw. Ik praat zo langzaam mogelijk, want ik ben bang dat ik anders midden in haar gezicht ga schreeuwen. 'Geef gewoon toe dat je die sms'jes over Raoul naar me hebt gestuurd. Je hoeft niet meer te liegen, ik wéét dat jij het hebt gedaan.'

'Raoul? Sms'jes? Echt, Maud, ik heb…'

'Lynn!' val ik dan uit. 'Moet ik ze soms voorlezen?'

Ik graai mijn telefoon uit mijn broekzak en open mijn inbox. 'Hier! Lees dan.' Mijn stem trilt van boosheid als ik mijn mobiel naar haar ophoud en uit mijn hoofd voorlees wat er in de berichtjes staat. 'Denk je nu echt dat R. je leuk vindt! Vraag maar eens aan R. hoe lang hij echt met J. heeft gezoend.' Ik spuug de

'J.' haast uit. 'Heb je nou je zin? Vind je het echt zo rot dat ik vaker met Raoul afspreek dan met jou, dat je maar moet gaan lopen stoken? Serieus, Lynn. Wat valt dat me van je tegen.'

Met een klap schuif ik mijn mobiel weer in en zak achterover in de tuinstoel. In mijn hoofd zie ik hoe Lynn straks alles gaat toegeven. Ik voel hoe het speeksel in mijn mond wegtrekt. Ik word zo misselijk, geloof ik.

'Je snapt het niet,' zegt Lynn dan. Ze schudt haar hoofd, en kijkt dan eerst Koen en daarna mij heel lang aan. 'Jullie snappen het allebei niet.'

Uit haar tas die aan de stoel bungelt haalt ze haar telefoon en legt hem voor me op tafel. 'Ik krijg ook van die sms'jes...'

Het duurt even voordat ik het allemaal doorheb. Lynn krijgt ook van die sms'jes? Dezelfde als ik?

'Wat?' zeg ik. 'Ik begrijp het niet.'

'Ja,' zegt ze. 'Tenminste, het klinkt alsof ze van dezelfde persoon komen.'

'Echt?' Ik schud mijn hoofd. 'Ik snap het niet. Ik...

'Wie heeft er in vredesnaam zo'n hekel aan jullie?'

Ik kijk even op. Ik was haast vergeten dat Koen er ook nog was.

Lynn haalt haar schouders op. Haar gezicht staat verdrietig. 'Ik weet het ook niet.'

'Hoeveel heb jij er gekregen? Mag ik ze eens lezen?' vraag ik, terwijl ik een flinke slok van mijn cola neem. Mijn mond is helemaal droog van al die informatie.

'Drie of vier, of zo,' zegt Lynn. 'Ik kreeg ze vrijdagavond allemaal achter elkaar. Moet ik ze voorlezen?'

Ik knik.

'*Alsof J. echt verliefd kan worden op zo'n sloerie als jij.*'

'*Kan je niets beters krijgen dan J.? J. kan echt wel iets beters krijgen dan jou...*'

'Vind je het niet heel gek dat J. niets met je wil afspreken... Hij wil niet met je gezien worden...'

Ik weet genoeg. Dit komt van dezelfde persoon die mij de berichtjes heeft gestuurd.

'J.?' vraag ik. 'Wie is J.? Jasper? Heb je weer wat met Jasper?'

Lynn gooit haar telefoon op tafel en knipoogt naar me. 'Nee, met Job, nou goed.'

'Job?'

Lynn kijkt me grijnzend aan. 'Alsjeblieft, Maud! Ik eet nog liever mijn eigen hand op dan dat ik met die broer van je zoen.'

Voor het eerst sinds gisteren voel ik hoe de druk op mijn keel plaatsmaakt voor een lach. Lynn heeft de berichtjes niet gestuurd. Het was niet Lynn die zat te stoken tussen Raoul en mij.

'Maar dan snap ik het nog niet helemaal,' zeg ik. 'Hoe kon het dan dat ik jou aan de telefoon kreeg, toen ik dat nummer van die sms'jes belde?'

'Wanneer?'

'Gisteren. Gistermiddag, tegen twaalf uur.'

Lynn fronst haar voorhoofd. 'Ik heb jou helemaal niet aan de telefoon gehad. Ik was bij Jasper, gistermiddag.'

'Bij Jasper?'

'Ja.'

Ik begin er steeds minder van te snappen. Ik kreeg toch echt gisteren Lynn aan de telefoon. Toen ik met Raouls telefoon belde. Toch? Ik ben toch niet gek?

Met een ruk schiet Lynn opeens op uit haar stoel.

'Geef me je telefoon eens. Ik denk dat ik het al snap.'

In een paar seconden heeft ze mijn inbox geopend en houdt ze mijn telefoon naar me op. 'Dit is Jaspers nummer,' zegt ze. 'Je hebt naar Jaspers telefoon gebeld.'

Ik kijk vol ongeloof naar het telefoonnummer dat ik ben gaan haten. Heeft Jasper dan die sms'jes gestuurd? Jasper? Waarom zou hij dat doen?

'Jasper?' vraag ik langzaam.

'Volgens mij begin ik het te snappen,' zegt Lynn, terwijl ze mijn telefoon over de tafel naar me toe schuift. 'Wanneer heb je voor het laatst een sms'je gekregen?'

Ik moet even nadenken. 'Vrijdag, volgens mij.'

'Hoe laat ongeveer?'

'Vier uur? Ik kan wel opzoeken hoe laat het precies was, maar het was in ieder geval 's middags.'

'Daarna niet meer?'

Ik schud mijn hoofd. 'Nee. Vrijdagmiddag kreeg ik de laatste. Op het feestje en daarna heb ik niets meer gekregen.'

'Oké,' zegt Lynn langzaam. 'Ik begrijp het zelf ook nog niet helemaal, maar wat ik wel weet is dat Jasper zijn telefoon een paar dagen kwijt was. Hij zei dat hij hem vrijdagavond op het feestje weer in zijn jaszak vond, maar hij weet zeker dat hij hem daar zelf niet in heeft gestopt.'

Ze zwijgt even terwijl ze wat aan het klepje van haar telefoon pulkt.

'Ik weet niet precies sinds wanneer hij zijn telefoon kwijt was,' gaat ze verder. 'Maar ik weet wel dat hij flink overstuur was toen hij vrijdagavond bij mij aan de deur kwam. Hij had het over een seksfilmpje dat hij had gemaakt van Job?'

Ze kijkt me met opgetrokken wenkbrauwen aan.

'Ja,' zeg ik. 'En ik heb zo'n vermoeden dat dat nog wel eens met elkaar te maken zou kunnen hebben...'

'Maar dan klopt er nog iets niet,' zegt Koen dan opeens. Hij tikt met zijn wijsvinger op de tafel en wijst dan naar Lynn. 'Die sms-jes die naar jou waren gestuurd, waren niet met Jaspers telefoon gestuurd, toch? Dan had je het nummer meteen herkend.'

'Ik weet niet wie mij die sms'jes heeft gestuurd,' zegt Lynn, terwijl ze haar telefoon weer openschuift. 'Ik ken het nummer niet, maar het is in ieder geval niet dat van Jasper.' Ze houdt het schermpje van haar telefoon naar ons op. 'Misschien dat jullie het kennen?'

Automatisch kijk ik naar de laatste drie cijfers. Wanneer ik de cijfercombinatie zie, voelt het alsof ik een dreun in mijn gezicht krijg.

'Ik ken het niet,' zegt Koen en hij schudt zijn hoofd.

'Ik wel,' fluister ik. 'Dat is het nummer van Raoul.'

RAOUL

'Alsof jij nooit iets stoms hebt gedaan!'

Net iets te hard schopt Tijn de bal tegen het muurtje aan. Het zweet parelt op zijn voorhoofd als hij daarna met de binnenkant van zijn voet de bal weer tegenhoudt.

Hij kijkt me boos aan. 'Jij weet altijd zo goed te vertellen wat een ander fout doet, maar nooit kijk je eens naar jezelf.'

Het is echt onzin wat hij nu allemaal beweert, maar ik heb niet eens zin om er tegenin te gaan. Hij weet net zo goed als ik dat het een rotstreek was om Job en Wendy te filmen.

'Daar gaat het nu toch niet om,' zeg ik, terwijl ik me op het muurtje hijs. 'Om wat ik ooit fout heb gedaan? We hebben het nu over Jasper en jou.' Ik hoor zelf hoe beterwetig ik overkom, maar dat moet dan maar. Ik vind het ook echt gewoon een rotstreek.

'Wat moet ik dan?' Tijn gooit overdreven zijn handen in de lucht. 'Nóg een keer sorry zeggen tegen Job? Die jongen ziet me aankomen. Ik heb al meer dan honderd keer gezegd dat het niet had mogen gebeuren.'

Hij stuitert de voetbal op de grond alsof het een basketbal is. 'Het enige wat ik nu nog kan doen,' zegt hij, 'is uitzoeken wie dat filmpje heeft doorgestuurd aan Juul.'

'Hm,' zeg ik.

'Of geloof je dat soms ook al niet? Denk je nu ook nog dat

Jasper dat filmpje heeft doorgestuurd? Waarom zou hij dat doen?'

'Precies,' zeg ik, terwijl ik met mijn hand de lage zon uit mijn ogen probeer te houden. 'Ik heb geen idee waarom iemand het seksfilmpje van Job en Wendy naar Julia door zou sturen. Er klopt gewoon iets niet, toch?'

Tijn haalt zijn schouders op. 'Ik snap er sowieso niets meer van. Eerst wordt de telefoon van Jasper gejat, dan heeft Julia dat filmpje opeens én heeft Jasper zijn telefoon weer terug.' Hij schudt zijn hoofd. 'Iemand is een vies spelletje aan het spelen.'

'Zou degene die de telefoon heeft gejat ook het filmpje hebben doorgestuurd?' vraag ik, hoewel ik het antwoord al weet.

'Lijkt me wel, toch?' zegt Tijn.

'Dan was dat dezelfde persoon die de telefoon in de jas van Jasper heeft teruggestopt.'

'Ja?'

'Natuurlijk,' zeg ik dan. In mijn hoofd beginnen een paar lampjes achter elkaar te branden. 'Natuurlijk. Degene die de telefoon gestolen heeft, moet ook op het feestje zijn geweest.'

Ik kijk Tijn aan. 'Wie waren er én op het strand toen Jaspers telefoon werd gestolen én gisteravond op het feestje?'

Tijn kijkt me aan en laat dan zuchtend zijn adem los. 'Dat zijn er zo veel. We waren met een hele club op het strand en gisteravond waren er ook heel veel mensen.'

'Julia?' vraag ik.

Tijn knikt. 'Ja, Julia. En Job zelf, die kwam ook nog even langs. En Jasper natuurlijk, en ik, Wendy, Saskia. Benjamin...'

'Wacht even, wacht even,' onderbreek ik hem dan. 'Wie weten er allemaal nog meer van het filmpje, behalve Jasper en jij?'

'Niemand,' zegt Tijn.

'Niemand? Heb je het echt aan niemand verteld?'

'Ja, aan Saskia, maar dat telt niet, want haar vertel ik alles.'

'Juist,' zeg ik, terwijl ik achteroverleun. 'En zij heeft ook weer iemand aan wie zij alles vertelt...'

MAUD

Ik heb het gevoel dat ik in een of andere politiefilm zit als Lynn me opbelt en door de telefoon hijgt dat ik klaar moet staan, omdat ze binnen twee minuten bij me is.

Ik rijd net het poortje uit als ik vanuit mijn ooghoek Lynn aan zie komen fietsen. Ze remt niet eens af als ze me ziet.

'Kom je?' roept ze.

Ik trap zo hard als ik kan om gelijk met haar op te fietsen.

'Wat is er in vredesnaam met jou aan de hand?' vraag ik.

'Ik weet wie het is,' zegt Lynn dan. Ze kijkt me niet aan, maar ik zie dat ze grijnst.

'Wie?' zeg ik. 'Julia?'

'Hier rechts.'

'Zeg op, Lynn,' zeg ik ongeduldig. 'Is het Julia of niet?'

'Natuurlijk niet.' Lynn zegt het op zo'n luchtige toon, dat ze meteen al mijn twijfels wegneemt. In mijn hoofd kras ik de naam Julia door, waardoor mijn lijst opeens verdacht leeg is. Ik zou niet weten wie er dán achter die sms'jes zit.

'We zijn er bijna,' zegt Lynn alleen maar. 'Links.'

Vlak voor een snackbar remt Lynn af. 'Hier is het.'

Ik sta nog te prutsen met mijn fiets als Lynn al bij een meisje op het terras staat. Ook met een geldtasje om haar heupen, haar haren vast en een theedoek om haar schouders, herken ik haar meteen: Wendy.

'Sorry,' hoor ik Lynn zeggen. 'Kunnen we jou zo even spreken?'

Wendy draait haar hoofd bij. Als ze ziet dat het Lynn is die haar aanspreekt, doet ze niet eens de moeite zich helemaal om te draaien. 'Ik ben aan het werk,' zegt ze kortaf. 'Dat kun je toch zien?'

'Dan neem je maar even pauze,' zegt Lynn luchtig.

'Wat?' sist Wendy. Met een ruk draait ze zich om. 'Ben je helemaal achterlijk geworden? Waarom? Waarom zou ik met jou praten?'

Lynns wenkbrauwen schieten omhoog.

'Nou?' vraagt Wendy nog eens.

'Die man,' zegt Lynn terwijl ze een beweging met haar hoofd maakt. 'Die man die nu vanachter de toonbank naar ons kijkt, is dat je baas? Van mij mag hij alles horen, hoor. Geen probleem.'

Wendy kijkt ons aan alsof ze elk moment haar vaatdoekje in ons gezicht kan smijten. 'Goed dan,' snuift ze dan en ze loopt met grote passen uit het gezichtsveld van haar baas. 'Wat willen jullie me zo nodig vertellen?'

'We weten alles,' zegt Lynn met een stem alsof ze een maand in een vrieskist heeft gelegen.

'Wat weten jullie?' zegt Wendy op luide toon. 'Waar heb je het over?'

Lynn kijkt mij aan, zucht overdreven en kijkt dan weer naar Wendy. 'We kunnen dit langzaam doen of snel, zeg het maar.'

Wendy kijkt naar mij alsof ik haar bij kan vallen. Maar ik zeg niets. Ik ben benieuwd wat er nu gaat komen.

Lynn blijft Wendy strak aankijken, terwijl ze iets uit haar tas haalt en het vervolgens naar Wendy ophoudt. Het is een telefoon, zie ik, maar het is niet Lynns telefoon.

'Je bent ze vergeten te wissen, trut.' Lynn praat nog steeds met een ijzig kalme stem. 'Al die sms'jes. "Denk je nu echt dat R. je leuk vindt?" "Vraag maar aan R. hoe lang hij met J. gezoend heeft." Ik heb ze allemaal gelezen.'

'Dat kan helemaal niet,' zegt Wendy. 'Laat me eens lezen.'

Lynn drukt op wat toetsen en houdt dan weer het telefoontje voor Wendy's gezicht. 'Zie je?' zegt ze, waarna ze na amper een seconde de telefoon alweer naar zich toe trekt. 'En deze? En deze?'

Lynn beweegt het telefoontje zo snel heen en weer voor Wendy's gezicht, dat het niet kan dat Wendy ze ook daadwerkelijk leest. De kleur op haar wangen is weggetrokken.

'Even tussen ons,' fluistert Lynn dan hardop. 'Dat seksfilmpje van jou en Job... dat heeft Jasper helemaal niet naar Julia gestuurd, hè?'

Wendy kijkt Lynn aan alsof ze haar pas voor het eerst echt ziet. 'Wat?' zegt ze, terwijl ze overdreven haar ogen dichtknijpt en met haar hoofd schudt. 'Nog één keer.'

Lynn laat een kort lachje horen. 'Jasper heeft dat seksfilmpje niet naar Julia gestuurd. Want weet je waarom niet? Dat heb je namelijk zelf gedaan.'

Wendy's wit weggetrokken gezicht kleurt in één seconde rood. 'Je bent niet wijs,' lacht ze met een kort gilletje. 'Ik zou zeker mijn filmpje... Je bent niet goed bij je hoofd, raar mens.'

Lynn blijft ijzig kalm en kijkt niet weg als Wendy steeds hysterischer begint te lachen. Ze haalt haar schouders op. 'Ik denk het wel. En wil je nog weten waarom ik dat denk?'

Ik heb haast de neiging om 'ja' te zeggen. Ik ben razend nieuwsgierig waarom Wendy in vredesnaam haar eigen seksfilmpje naar iemand zou versturen.

Zonder een antwoord af te wachten, zegt Lynn: 'Ik denk niet eens dat het je bedoeling was om het filmpje door te sturen aan

Julia. Toen je hoorde dat Jasper je gefilmd had, wilde je eigenlijk alleen maar het filmpje wissen. En daarom heb je ook Jaspers telefoon gejat. Heb ik gelijk of niet?'

Wendy geeft geen kik en blijft strak voor zich uit kijken.

'Maar toen je zag dat je helemaal niet naakt op het filmpje stond,' gaat Lynn verder, 'dat het bij wijze van spreken iedereen kon zijn, tóen heb je het filmpje doorgestuurd aan Julia. Om haar jaloers te maken.'

Lynn houdt haar hoofd schuin als ze op fluisterende toon zegt: 'Heb ik gelijk of niet?'

Wendy slaat haar armen strak over elkaar en houdt haar hoofd op dezelfde manier als Lynn. 'En wat dan nog,' zegt ze op vlakke toon. 'Wat dan nog als ik dat heb gedaan?'

Dat zegt ze niet echt, denk ik bij mezelf.

'Die trut pakt iedereens vriendje af!' Met een ruk trekt ze de theedoek van haar schouder en smijt het ding in een prop op de grond. 'Job vond mij leuk! Dat zei hij zelf. En toen kwam dat stomme wijf van een Julia opeens aanzetten met haar sletterige gedrag.'

Wendy kijkt me woedend aan als ze met een vinger naar me wijst. 'Daar weet jij toch zeker ook alles van? Ze zat ook eerst achter die van jou aan. Achter Raoul. Dacht je dat ik dat soms niet wist? En dacht je dat dat voor Julia de eerste keer was?' Ze laat een kort en schel lachje horen. 'Laat me niet lachen. Die trut vindt het pas interessant worden als iemand een vriendin heeft. Dán wordt zo'n jongen pas leuk in haar ogen. Ik wilde haar gewoon laten voelen dat ík Job eerder had.'

Ik voel hoe ik opeens boos word. Gaat ze nu echt een beetje het slachtoffer lopen uithangen? Terwijl ik al die tijd door die stomme sms'jes heb getwijfeld aan Raoul?

'Heb je daarom ook die sms'jes naar mij gestuurd?' zeg ik met een trilling in mijn stem. 'Omdat Julia Raoul ook heeft gezoend?

Wat een achterlijke actie. Wat interesseert jou dat nou? Dat is iets tussen Julia en mij!'

'Precies,' zegt Wendy langzaam. 'Je schoonzusje Julia en jou.'

'Wat?'

'Snap je het dan niet, stomme trut!'

Automatisch zet ik een stap achteruit.

'Als jij nog steeds een hekel aan Julia had, dan duurde dat tussen Job en Julia ook niet lang meer. Niemand wil verkering met iemand aan wie de hele familie een hekel heeft.'

'En dus ging je stoken tussen mij en Raoul?'

'Dat was niet mijn bedoeling. Het was niet de bedoeling dat je aan hem zou twijfelen. Je moest kwaad worden op Julia.'

'En mij?' zegt Lynn. 'Waarom stuurde je met Raouls telefoon berichtjes naar mij?'

'Ik moest toch wat?' Wendy gooit haar handen in de lucht, alsof wij degenen zijn die traag zijn van begrip. 'Opeens moest Julia zo nodig vertellen dat ze het filmpje van Jasper had. En ik had die telefoon nog! Wat als ze het nummer had gebeld en dat ding was in mijn tas af gegaan? Ik moest de telefoon wel weer terugstoppen in zijn jas.'

Ze kijkt Lynn aan. 'Maar ik had één berichtje nog niet gewist. Daarom heb ik met Raouls telefoon die avond sms'jes naar jou gestuurd. Ik had verwacht dat jullie jullie vriendjes zouden verdenken.'

Ik kijk haar aan. 'Hoe kwam je eigenlijk aan de telefoon van Raoul? Had je die soms ook gejat?'

Wendy kijkt me vermoeid aan. 'Op het feestje heb ik gevraagd of ik zijn telefoon even mocht lenen, omdat ik geen beltegoed meer had. Volgens mij heeft hij niet eens doorgehad dat ik er sms'jes mee heb gestuurd.'

Ze lacht kort. 'Ik heb ze ook meteen gewist, natuurlijk.'

'Natuurlijk,' doe ik haar na.

Ik voel me opeens ontzettend misselijk. Ik heb Jasper er niet eens echt van verdacht dat hij achter die sms'jes zat. Ik had het veel te druk met Julia verdenken. En Raoul... Raoul heeft mij al die tijd leuk gevonden en ik heb alleen maar lopen twijfelen aan hem.

'Ik moet weg,' zeg ik dan.

Lynn kijkt me vreemd aan. 'Hallo?' begint ze, terwijl ze naar Wendy wijst. 'Die trut heeft net verteld dat...'

Ik schud mijn hoofd. Het doet er niet meer toe. Er is maar één persoon die er écht toe doet.

RAOUL

Uit automatisme pak ik haar hand vast als we het strand op lopen. We hebben nog weinig tegen elkaar gezegd en ik begin dit keer het gesprek ook niet.

'Ik moet je wat vertellen.' Met die woorden belde ze me een half uur geleden op. En daarna vroeg ze of ik zo snel mogelijk naar het strand wilde komen, naar dezelfde plek als waar we de vorige keer onze fietsen hadden neergezet.

Ik moet je wat vertellen. Dat zeggen mensen alleen als ze slecht nieuws te vertellen hebben of iets moeten opbiechten. Nog nooit is er iemand geweest die een 'ik hou van je' op die manier aankondigde.

Ze zag er ook anders uit, net, toen ze kwam aangefietst. In plaats van vrolijk had ze me schuldbewust aangekeken.

'Nou, wat wou je me nu zo nodig vertellen?'

Ik kan mijn tong wel afbijten. Begin ik alsnog het gesprek?

Maud blijft zo strak voor zich uit kijken dat ik me afvraag of ze me wel gehoord heeft.

'Ik weet niet zo goed hoe ik moet beginnen...' zegt ze dan.

En dan knapt er iets. 'Beginnen? Beginnen? Waarom begin je niet met het eind? Want dat is toch waar je hier voor komt? Om er een einde aan te maken, of niet?'

'Er een einde aan te maken? Waar heb je het over?'

'Jij weet heel goed waar ik het over heb.'

'Wat heb jij toch in vredesnaam, man?'

'Ik? Wat heb jij in vredesnaam?'

'Ik heb niets. Jíj doet raar.'

'Jij doet al dagen raar.'

'Ach, niet man.'

'Wel waar!'

Even staan we elkaar boos aan te kijken. En dan breekt een kleine glimlach haar gezicht in tweeën. 'Sorry,' zegt ze. 'Sorry, maar jij...' En dan begint ze keihard te lachen. 'Sorry, maar... wat erg!' zegt ze met een hoge stem van het lachen. 'Maar dat... dat... hoofd van jou!'

Ik kan het niet helpen, maar ik moet vanzelf mee lachen. Waar ben ik toch in vredesnaam mee bezig? Ben ik nog wel Raoul? Soms herken ik mezelf niet eens meer, zo raar doe ik. Maud hoeft maar een chagrijnige bui te hebben of ik denk dat het aan mij ligt. Maud hoeft maar een sms'je te krijgen of ik denk dat ze met een andere jongen aan het sms'en is. En dan die belachelijke msn-actie van laatst, waarbij ik me voordeed als Lynn...

Ik voel hoe het zuur wordt op mijn tong. Even heb ik de neiging om alles op te biechten, maar meteen slik ik die gedachte weer in. Dat mag Maud nooit te weten komen. Nooit.

'Dacht je echt dat ik je ging dumpen?' Maud veegt met haar pink langs haar ogen. 'Je bent niet wijs, jij. Ik dacht juist al die tijd dat jij míj niet leuk genoeg vond.'

En dan vertelt ze me alles. Over de sms'jes. Over hoe ze eerst Julia verdacht. Over hoe ze toen Lynn ervan verdacht, en hoe Lynn erachter was gekomen dat Wendy erachter zat.

'Via de telefoon van Jasper?' herhaal ik Maud.

Maud knikt. 'Jasper was vrijdag na het feestje helemaal overstuur naar Lynn gekomen. Niemand geloofde dat hij dat filmpje niet had gestuurd.'

Ik weet even niet zo goed waar ik kijken moet. Ook ik heb hem niet helemaal geloofd. Zijn beste vriend. Ik heb straks heel wat goed te praten, bedenk ik me.

'Wat natuurlijk het vreemde aan het hele verhaal was, was het gedoe met die telefoon. Eerst was 'ie gejat en toen zat 'ie als een wonder opeens weer in Jaspers jas.'

Maud laat mijn hand los en plof neer in het zand. Ik trek mijn schoenen uit en ga naast haar zitten.

'En toen?'

'Toen bleef dat verhaal over die telefoon zeuren bij Lynn. Er klopte gewoon iets niet. Jasper wilde het ding het liefst in het kanaal smijten, maar het is maar goed dat hij dat niet heeft gedaan. Wendy had vanaf Jaspers telefoon een sms'je naar Saskia gestuurd en was zo dom geweest om juist dát berichtje in zijn telefoon te laten staan.'

'En met dat seksfilmpje van Job?'

'Bluffen,' grijnst Maud. 'Lynn wist het niet zeker, maar het kon in principe niet anders dan dat Wendy daar ook achter zat. Het was allemaal te toevallig.'

Maud schudt haar hoofd en lacht zachtjes. 'Je had haar moeten horen! Zelfs ik geloofde dat Lynn precies wist waar ze het over had. En het was allemaal één grote gok! Ze praatte Wendy helemaal vast, totdat Wendy niets anders meer kon dan het hele verhaal toegeven.'

Ik knik langzaam. 'En Job?'

'Wat is er met Job?'

'Wat vindt die er allemaal van?'

'Ik heb hem heel kort gesproken en gezegd dat Wendy het filmpje had doorgestuurd. Hij schold een paar keer op haar, maar volgens mij is hij nog steeds meer kwaad op Jasper.'

Ik haal mijn schouders op. 'Als ik Jasper moet geloven, heeft hij er echt heel veel spijt van.'

'Tja,' zegt Maud. 'Dat snap ik wel. Ik vind het ook echt een rotstreek van hem.'

'Hé,' bedenk ik me dan opeens. 'Wat stond er eigenlijk in die sms'jes? Die Wendy naar jou stuurde?'

'O, niets bijzonders.'

Ik kijk haar met toegeknepen ogen aan. 'Je liegt, M.'

Maud is opeens heel druk met haar slippers. 'Het klinkt zo... zo kinderachtig nu ik weet wie erachter zit.'

'Nou, vertel op.'

Ze haalt haar schouders op. 'Gewoon. Dat je me niet echt leuk vond, dat je me toch nooit echt als je vriendinnetje zou zien, dat je langer met Julia had gezoend dan dat je me toen had verteld...'

Ze maakt haar zin niet af.

'Ik weet niet zo goed wat ik moet zeggen, M,' zeg ik terwijl ik haar tegen me aan trek.

'Nou, je kan beginnen met te zeggen dat Wendy ongelijk had,' lacht Maud. 'Dat er helemaal niets van klopt dat je me niet leuk vindt.'

'Geloofde je het dan ook nog? Wat in die sms'jes stond?'

'Dat je me niet leuk vond?' Maud draait een pluk haar om haar vinger. 'Weet ik niet,' zegt ze nog net niet op fluistertoon. 'Ik bedoel, ik weet wel dat je me leuk vindt, dat heb je me zelf gezegd, maar soms dan... dan...'

'Dan wat?'

Maud bijt op haar lip als ze me aankijkt. 'Laat maar...'

'Misschien moeten wij eens wat meer dingen tegen elkaar zeggen,' lach ik voorzichtig. 'Als je me meteen over die sms'jes had verteld, dan had ik je ook meteen kunnen vertellen dat je je nergens zorgen over hoefde te maken.'

'Ja, dat is ook zo.' Maud knikt. 'En ik bedoel, ik weet ook wel dat je me leuk vindt, maar soms, dan... weet je wel?' Ze haalt kort haar schouders op en geeft me een snelle kus op mijn mond. 'Soms zou ik gewoon... snap je wat ik bedoel?'

En opeens weet ik precies wat ze bedoelt.

MAUD

Snapt hij dan echt niet wat ik bedoel? Hoe vaak moet ik nog hints geven? Als dit een partijtje voetbal was geweest, dan had 'ie met een simpel hoofdknikje de bal erin kunnen koppen, zo mooi zet ik 'm voor.

Ik moet op mijn lip bijten om niet heel diep te zuchten. Mijn hoofd is nog helemaal vol van alle informatie die het moet verwerken. Lynn die níet achter de sms'jes zat. Julia die niet de verbitterde ex uithangt. Raoul die me wél leuk vindt.

Ik laat zo onopvallend mogelijk mijn adem los. Ik wil gewoon zekerheid. Laat me dan maar een muts zijn. Er zijn twee dingen die ik nu wil: slapen en de zekerheid dat Raoul me echt leuk vindt. In omgekeerde volgorde.

Vanuit mijn ooghoek zie ik dat Raoul lachend zijn hoofd schudt.

Ik klap een paar hard in mijn handen om het zand van mijn handpalmen te kloppen en sta dan op. Zand erover, denk ik bitter. Volgende keer beter.

'Ga je mee?'

Ik wacht niet tot hij ook is opgestaan en loop alvast. Ik ben al een paar passen verder als ik doorheb dat Raoul niet naast me loopt. Wanneer ik me omdraai, zit hij nog steeds op dezelfde plek. Maar in plaats van op zijn kont, zit hij nu op één knie.

Ergens in mijn lichaam knallen mijn hart en mijn hoofd tegen elkaar op. Zie ik nu Raoul die me op één knie met een verliefde grijns aan zit te kijken?

'Lieve, lieve, lieve Maud,' zegt hij dan. 'We zijn nu al een tijdje bij elkaar en...'

Raoul laat zijn hoofd zakken, zodat ik zijn gezicht niet meer zie.

Wat? Wat doet hij nou?

Dan komt hij lachend overeind. 'Dit wordt niets als ik het ooit echt moet doen,' lacht hij. Hij plant zijn ene hand stoer op zijn knie en zegt dan: 'Lieve M. Wil je alsjeblieft mijn vriendinnetje zijn?'

Ik weet dat het half serieus, half grappig bedoeld is, maar ik weet ook dat hij het meent. Vanuit mijn maag voel ik een kriebel opstijgen, die ergens in mijn keel blijft hangen. Ik kan alleen maar heftig knikken met mijn hoofd.

Raoul heeft nog steeds een grote grijns op zijn gezicht als hij opstaat. 'Kom op, M. Veel officiëler dan dit wordt het niet, hoor. Is dat een ja?'

Ik blijf hem aankijken terwijl ik een paar stappen achteruit zet. Bij een pas of tien stop ik en lach ik naar hem. Hij snapt het wel. Hij moet het snappen.

Dan begin ik te rennen en spring ik in zijn armen.

Alsof we nooit anders hebben gedaan, vangt hij me op en sla ik mijn armen om zijn nek. Ik leg mijn hand tegen zijn gezicht en geef hem een zacht kusje op zijn wang. Ik kijk hem recht in zijn ogen en zie wat ik altijd ergens wel heb geweten.

Ik kan hem alles vertellen. Hij lacht me niet uit. Mijn lieve vriendje die ik altijd alles kan vertellen.

Mijn mond is vlak bij zijn oor, als ik fluister: 'Had ik je al eens verteld dat je onwijs lekker kan zoenen?'

Lees ook van Daniëlle Bakhuis

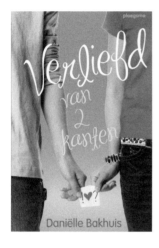

Verliefd van 2 kanten

Jongens hoeven niet verliefd te zijn om met je te zoenen. Dus hoe weet ik of hij verliefd is op mij?

Als Maud heeft GEZOEND met Raoul slaat de onzekerheid toe. Is hij wel op haar? Tot overmaat van ramp stuurt ze hem een sms die hij NOOIT had mogen lezen. En wat doet zijn ex bij hem op schoot?

Verwacht ze dat ik de eerste stap zet? Meiden denken dat jongens dat makkelijk vinden. Alsof wij niet onzeker zijn!

Raoul snapt meiden vaak niet. Ze praten zo ANDERS. Wat verwacht Maud van hem! En waarom zit Julia nog steeds achter hem aan?

Een jongen en een meisje. Zijn ze verliefd? Maud zeker. Maar Raoul?

In deze jeugdroman lees je haar kant én zijn kant van het verhaal.

*Tien dingen die je vast nog niet over Daniëlle Bakhuis wist
(maar die wel zéér interessant zijn):*

Daniëlle:
• Heeft verkering met de jongen die ze op haar veertiende (!) al leuk vond • Heeft een tic waarbij ze Engelse liedjes in het Nederlands vertaald (Ik zoende met een meisje en dat vónd ik leu-heuk. Ze smaakte naar kersenlipbalsem) • Won ooit een playbackshow van Ilse de Lange. Toen ze 7 was, maar toch • Kauwt op haar asperines (als ze hoofdpijn heeft, niet voor de lol) • Kan hele dialogen uit de serie Friends oplepelen • Heeft altijd een schaal witte druiven of een zak salmiaklollies binnen handbereik tijdens het schrijven • Viert al elf jaar haar zeventiende verjaardag • Is niet